Molière

L'Avare

Dossier réalisé par
Suzanne Guellouz

Lecture d'image par
Valérie Lagier

folioplus
classiques

Agrégée de lettres, **Suzanne Guel-louz** a enseigné en collège, au lycée avant d'être nommée professeur à l'université de Caen. Elle s'est plus spécialement inté-ressée au XVIIe siècle, particulièrement au genre du dialogue et aux moralistes. Elle se consacre également à rapprocher les littératures espagnole et française. Elle a publié notamment *Le Théâtre au XVIIe siècle* aux éditions Bréal.

Conservateur au musée de Grenoble puis au musée des Beaux-Arts de Rennes, **Valérie Lagier** a organisé de nom-breuses expositions d'art moderne et contemporain. Elle a créé, à Rennes, un service éducatif très innovant, et assure des formations d'histoire de l'art pour les enseignants et les étudiants. Elle est l'auteur de plusieurs publications scienti-fiques et pédagogiques. Elle est actuelle-ment adjointe à la directrice des études de l'Institut national du Patrimoine à Paris.

Couverture : Jan Steen, *L'Avare*, collection particulière. Photo © Bridgeman Giraudon.

Sommaire

Sommaire

L'Avare

Comédie

ACTEURS

HARPAGON, *père de Cléante et d'Élise, et amoureux de Mariane.*

CLÉANTE, *fils d'Harpagon, amant de Mariane.*

ÉLISE, *fille d'Harpagon, amante de Valère.*

VALÈRE, *fils d'Anselme, et amant d'Élise.*

MARIANE, *amante de Cléante, et aimée d'Harpagon.*

ANSELME, *père de Valère et de Mariane.*

FROSINE, *femme d'intrigue.*

MAÎTRE SIMON, *courtier.*

MAÎTRE JACQUES, *cuisinier et cocher d'Harpagon.*

LA FLÈCHE, *valet de Cléante.*

DAME CLAUDE, *servante d'Harpagon.*

BRINDAVOINE, } *laquais d'Harpagon.*
LA MERLUCHE, }

LE COMMISSAIRE *et son* CLERC.

La scène est à Paris.

Acte premier

Scène I

VALÈRE: Hé quoi? charmante Élise, vous devenez mélancolique, après les obligeantes assurances que vous avez eu la bonté de me donner de votre foi[1]? Je vous vois soupirer, hélas! au milieu de ma joie! Est-ce du regret, dites-moi, de m'avoir fait heureux, et vous repentez-vous de cet engagement où[2] mes feux ont pu vous contraindre?

ÉLISE: Non, Valère, je ne puis pas me repentir de tout ce que je fais pour vous. Je m'y sens entraîner par une trop douce puissance, et je n'ai pas même la force de souhaiter que les choses ne fussent pas. Mais, à vous dire vrai, le succès[3] me donne de

---

1. Fidélité en amour.
2. Relatif qui, au XVIIᵉ siècle, peut s'employer à la place de *qui* précédé d'une préposition ou d'autres relatifs. Ici il équivaut à *auquel*.
3. Issue. Le terme peut avoir un sens positif ou négatif, désigner un résultat heureux ou malheureux.

l'inquiétude; et je crains fort de vous aimer un peu plus que je ne devrais.

VALÈRE: Hé! que pouvez-vous craindre, Élise, dans les bontés[1] que vous avez pour moi?

ÉLISE: Hélas! cent choses à la fois: l'emportement d'un père, les reproches d'une famille, les censures du monde; mais plus que tout, Valère, le changement de votre cœur, et cette froideur criminelle dont ceux de votre sexe payent le plus souvent les témoignages trop ardents d'une innocente amour[2].

VALÈRE: Ah! ne me faites pas ce tort de juger de moi par les autres. Soupçonnez-moi de tout, Élise, plutôt que de manquer à ce que je vous dois: je vous aime trop pour cela, et mon amour pour vous durera autant que ma vie.

ÉLISE: Ah! Valère, chacun tient les mêmes discours. Tous les hommes sont semblables par les paroles; et ce n'est que les actions qui les découvrent différents.

VALÈRE: Puisque les seules actions font connaître ce que nous sommes, attendez donc au moins à[3] juger de mon cœur par elles, et ne me cherchez point des crimes dans les injustes craintes d'une fâcheuse pré-voyance. Ne m'assassinez point, je vous prie, par les sensibles coups d'un soupçon outrageux, et donnez-

---

1. Au milieu des bontés.
2. Dès lors qu'il ne s'agit pas de l'amour de Dieu, qui est tou-jours au masculin, *amour* peut, au XVIIe siècle, être employé au mas-culin (comme en latin) ou au féminin (comme dans la langue du XVIe siècle).
3. C'est la préposition la plus utilisée au XVIIe siècle. Elle sert notamment, comme ici, à exprimer le but.

moi le temps de vous convaincre, par mille et mille preuves, de l'honnêteté de mes feux.

ÉLISE : Hélas ! qu'avec facilité on se laisse persuader par les personnes que l'on aime ! Oui, Valère, je tiens votre cœur incapable de m'abuser. Je crois que vous m'aimez d'un véritable amour, et que vous me serez fidèle ; je n'en veux point du tout douter, et je retranche mon chagrin aux appréhensions du blâme qu'on pourra me donner[1].

VALÈRE : Mais pourquoi cette inquiétude ?

ÉLISE : Je n'aurais rien à craindre, si tout le monde vous voyait des yeux dont je vous vois, et je trouve en votre personne de quoi avoir raison aux choses[2] que je fais pour vous. Mon cœur, pour sa défense, a tout votre mérite, appuyé du secours d'une reconnaissance où[3] le Ciel m'engage envers vous. Je me représente à toute heure ce péril étonnant[4] qui commença de nous offrir aux regards l'un de l'autre ; cette générosité[5] surprenante qui vous fit risquer votre vie, pour dérober la mienne à la fureur des ondes ; ces soins pleins de tendresse que vous me[6] fîtes éclater après m'avoir tirée de l'eau, et les hommages assidus de cet ardent amour que ni le temps ni les difficultés n'ont rebuté, et qui, vous faisant négliger et parents

---

1. Je borne mon chagrin à ce que je redoute du blâme. Mon chagrin se limite à la crainte que j'ai d'être blâmée.
2. Justifier les choses.
3. À laquelle.
4. Effrayant. *Étonner* au xviiᵉ siècle a un sens très fort et marque le saisissement en bien ou en mal. Il peut aussi bien s'agir de terreur que d'admiration.
5. Héroïsme, grandeur d'âme.
6. Pour moi.

et patrie, arrête vos pas en ces lieux, y tient en ma faveur votre fortune[1] déguisée, et vous a réduit, pour me voir, à vous revêtir de l'emploi de domestique[2] de mon père. Tout cela fait chez moi sans doute un merveilleux effet; et c'en est assez à mes yeux pour me justifier[3] l'engagement où j'ai pu consentir; mais ce n'est pas assez peut-être pour le justifier aux autres[4], et je ne suis pas sûre qu'on entre dans mes sentiments.

VALÈRE : De tout ce que vous avez dit, ce n'est que par mon seul amour que je prétends auprès de vous mériter quelque chose; et quant aux scrupules que vous avez, votre père lui-même ne prend que trop de soin de vous justifier[5] à tout le monde; et l'excès de son avarice, et la manière austère dont il vit avec ses enfants pourraient autoriser des choses plus étranges. Pardonnez-moi, charmante Élise, si j'en parle ainsi devant vous. Vous savez que sur ce chapitre on n'en peut pas dire de bien. Mais enfin, si je puis, comme je l'espère, retrouver mes parents, nous n'aurons pas beaucoup de peine à nous le rendre favorable. J'en attends des nouvelles avec impatience, et j'en irai chercher moi-même, si elles tardent à venir.

ÉLISE : Ah ! Valère, ne bougez d'ici, je vous prie; et songez seulement à vous bien mettre dans l'esprit de mon père.

---

1. Rang, situation sociale.
2. Le terme désigne, au XVIIe siècle, tous ceux qui occupent une fonction, haute ou basse, dans une maison (*domus* en latin).
3. Rendre légitime à mes yeux.
4. Rendre légitime aux yeux des autres.
5. Rendre vos actes légitimes.

VALÈRE : Vous voyez comme je m'y prends, et les adroites complaisances qu'il m'a fallu mettre en usage pour m'introduire à son service ; sous quel masque de sympathie et de rapports de sentiments je me déguise pour lui plaire, et quel personnage je joue tous les jours avec lui, afin d'acquérir sa tendresse. J'y fais des progrès admirables ; et j'éprouve que pour gagner les hommes, il n'est point de meilleure voie que de se parer à leurs yeux de leurs inclinations, que de donner dans[1] leurs maximes, encenser leurs défauts, et applaudir à ce qu'ils font. On n'a que faire d'avoir peur de trop charger[2] la complaisance ; et la manière dont on les joue a beau être visible, les plus fins toujours sont de grandes dupes du côté de la flatterie ; et il n'y a rien de si impertinent[3] et de si ridicule qu'on ne fasse avaler lorsqu'on l'assaisonne en louange. La sincérité souffre un peu au métier que je fais ; mais quand on a besoin des hommes, il faut bien s'ajuster à eux ; et puisqu'on ne saurait les gagner que par là, ce n'est pas la faute de ceux qui flattent, mais de ceux qui veulent être flattés.

ÉLISE : Mais que ne tâchez-vous aussi à gagner l'appui de mon frère, en cas que la servante[4] s'avisât de révéler notre secret ?

VALÈRE : On ne peut pas ménager l'un et l'autre ; et l'esprit du père et celui du fils sont des choses si opposées, qu'il est difficile d'accommoder ces deux

---

1. Sembler partager.
2. Exagérer, accentuer à l'excès.
3. Déplacé, qui ne convient pas parce qu'il va à l'encontre du bon sens ou de la morale.
4. Il s'agit de dame Claude.

confidences[1] ensemble. Mais vous, de votre part, agissez auprès de votre frère, et servez-vous de l'amitié qui est entre vous deux pour le jeter dans nos intérêts. Il vient, je me retire. Prenez ce temps pour lui parler; et ne lui découvrez de notre affaire que ce que vous jugerez à propos.

ÉLISE: Je ne sais si j'aurai la force de lui faire cette confidence.

Scène 2

CLÉANTE, ÉLISE

CLÉANTE: Je suis bien aise de vous trouver seule, ma sœur; et je brûlais de vous parler, pour m'ouvrir à vous d'un secret.

ÉLISE: Me voilà prête à vous ouïr, mon frère. Qu'avez-vous à me dire?

CLÉANTE: Bien des choses, ma sœur, enveloppées dans un mot: j'aime.

ÉLISE: Vous aimez?

CLÉANTE: Oui, j'aime. Mais avant que d'aller plus loin, je sais que je dépends d'un père, et que le nom de fils me soumet à ses volontés; que nous ne devons point engager notre foi sans le consentement de ceux dont nous tenons le jour; que le Ciel les a faits les maîtres de nos vœux, et qu'il nous est enjoint de n'en

---

1. Relations de confiance.

disposer que par leur conduite[1] ; que n'étant préve-
nus d'aucune folle ardeur, ils sont en état de se trom-
per bien moins que nous, et de voir beaucoup mieux
ce qui nous est propre ; qu'il en faut plutôt croire les
lumières de leur prudence que l'aveuglement de
notre passion ; et que l'emportement de la jeunesse
nous entraîne le plus souvent dans des précipices
fâcheux. Je vous dis tout cela, ma sœur, afin que vous
ne vous donniez pas la peine de me le dire ; car enfin
mon amour ne veut rien écouter, et je vous prie de
ne me point faire de remontrances.

ÉLISE : Vous êtes-vous engagé, mon frère, avec celle
que vous aimez ?

CLÉANTE : Non, mais j'y suis résolu ; et je vous
conjure encore une fois de ne me point apporter de
raisons pour m'en dissuader.

ÉLISE : Suis-je, mon frère, une si étrange personne ?

CLÉANTE : Non, ma sœur ; mais vous n'aimez pas :
vous ignorez la douce violence qu'un tendre amour
fait sur nos cœurs, et j'appréhende votre sagesse.

ÉLISE : Hélas ! mon frère, ne parlons point de ma
sagesse. Il n'est personne qui n'en manque, du moins
une fois en sa vie ; et si je vous ouvre mon cœur, peut-
être serai-je à vos yeux bien moins sage que vous.

CLÉANTE : Ah ! plût au Ciel que votre âme, comme
la mienne...

ÉLISE : Finissons auparavant votre affaire, et me dites[2]
qui est celle que vous aimez.

---

1. Conseil, conduite qu'ils nous imposent.
2. Dites-moi.

CLÉANTE : Une jeune personne qui loge depuis peu en ces quartiers, et qui semble être faite pour donner de l'amour à tous ceux qui la voient. La nature, ma sœur, n'a rien formé de plus aimable ; et je me sentis transporté dès le moment que je la vis. Elle se nomme Mariane, et vit sous la conduite d'une bonne femme [1] de mère, qui est presque toujours malade, et pour qui cette aimable fille a des sentiments d'amitié [2] qui ne sont pas imaginables. Elle la sert, la plaint, et la console avec une tendresse qui vous toucherait l'âme. Elle se prend d'un air le plus charmant du monde aux choses qu'elle fait [3], et l'on voit briller mille grâces en toutes ses actions : une douceur pleine d'attraits, une bonté toute engageante, une honnêteté [4] adorable, une... Ah ! ma sœur, je voudrais que vous l'eussiez vue.

ÉLISE : J'en vois beaucoup, mon frère, dans les choses que vous me dites ; et pour comprendre ce qu'elle est, il me suffit que vous l'aimez.

CLÉANTE : J'ai découvert sous main qu'elles ne sont pas fort accommodées [5], et que leur discrète [6] conduite a de la peine à étendre à tous leurs besoins le bien qu'elles peuvent avoir. Figurez-vous, ma sœur, quelle

---

1. L'expression *bonne femme* n'est pas péjorative. L'adjectif *bonne* qualifiant *femme* indique qu'il s'agit d'une personne tout à la fois âgée et débonnaire.
2. Affection.
3. Elle s'applique aux choses qu'elle fait.
4. Est honnête moins celui qui adopte une conduite stricte que celui qui connaît les bienséances, ce qu'il convient de faire.
5. Riches, à l'aise financièrement.
6. Conforme à une sagesse qui est fruit de la réflexion, judicieuse.

joie ce peut être que de relever la fortune d'une personne que l'on aime; que de donner adroitement
quelques petits secours aux modestes nécessités
d'une vertueuse famille; et concevez quel déplaisir[1]
ce m'est de voir que, par l'avarice d'un père, je sois
dans l'impuissance de goûter cette joie, et de faire
éclater à cette belle aucun témoignage de mon amour.

ÉLISE: Oui, je conçois assez, mon frère, quel doit
être votre chagrin.

CLÉANTE: Ah! ma sœur, il est plus grand qu'on ne
peut croire. Car enfin, peut-on rien voir de plus cruel
que cette rigoureuse épargne qu'on exerce sur nous,
que cette sécheresse étrange où l'on nous fait lan-
guir? Et que nous servira d'avoir du bien, s'il ne nous
vient que dans le temps que nous ne serons plus dans
le bel âge d'en jouir, et si pour m'entretenir même, il
faut que maintenant je m'engage[2] de tous côtés, si je
suis réduit avec vous à chercher tous les jours le
secours des marchands, pour avoir moyen de porter
des habits raisonnables? Enfin j'ai voulu vous parler,
pour m'aider à sonder mon père sur les sentiments
où je suis; et si je l'y trouve contraire, j'ai résolu d'aller en d'autres lieux, avec cette aimable personne,
jouir de la fortune que le Ciel voudra nous offrir. Je
fais chercher partout pour ce dessein de l'argent à
emprunter; et si vos affaires, ma sœur, sont semblables aux miennes, et qu'il faille que notre père
s'oppose à nos désirs, nous le quitterons là tous deux

---

1. Le terme qui a, au XVIIᵉ siècle, un sens très fort signifie profonde contrariété.
2. Il faut que maintenant je m'endette.

et nous affranchirons de cette tyrannie où nous tient depuis si longtemps son avarice insupportable.

ÉLISE : Il est bien vrai que, tous les jours, il nous donne de plus en plus sujet de regretter la mort de notre mère, et que…

CLÉANTE : J'entends sa voix. Éloignons-nous un peu, pour nous achever notre confidence ; et nous joindrons après nos forces pour venir attaquer la dureté de son humeur[1].

Scène 3

HARPAGON, LA FLÈCHE

HARPAGON : Hors d'ici tout à l'heure[2], et qu'on ne réplique pas. Allons, que l'on détale[3] de chez moi, maître juré filou[4], vrai gibier de potence.

LA FLÈCHE : Je n'ai jamais rien vu de si méchant que ce maudit vieillard, et je pense, sauf correction[5], qu'il a le diable au corps.

---

1. Caractère.
2. Sur-le-champ.
3. Plier bagages, s'enfuir.
4. C'est parmi les maîtres (ceux qui forment la catégorie supérieure, située au-dessus de celle des apprentis et de celle des compagnons) qu'au Moyen Âge on choisissait les jurés de chaque corporation (association regroupant tous ceux qui exerçaient le même métier). L'expression signifie donc filou, escroc de première qualité.
5. S'emploie, selon un dictionnaire de l'époque, « pour corriger et adoucir quelque chose qu'on a dit de trop libre, ou qui pourrait offenser quelqu'un ».

HARPAGON : Tu murmures entre tes dents.

LA FLÈCHE : Pourquoi me chassez-vous ?

HARPAGON : C'est bien à toi, pendard, à me demander des raisons ; sors vite, que[1] je ne t'assomme.

LA FLÈCHE : Qu'est-ce que je vous ai fait ?

HARPAGON : Tu m'as fait que je veux que tu sortes.

LA FLÈCHE : Mon maître, votre fils, m'a donné ordre de l'attendre.

HARPAGON : Va-t'en l'attendre dans la rue, et ne sois point dans ma maison planté tout droit comme un piquet, à observer ce qui se passe, et faire ton profit de tout. Je ne veux point avoir sans cesse devant moi un espion de mes affaires, un traître, dont les yeux maudits assiègent toutes mes actions, dévorent ce que je possède, et furètent de tous côtés pour voir s'il n'y a rien à voler.

LA FLÈCHE : Comment diantre[2] voulez-vous qu'on fasse pour vous voler ? Êtes-vous un homme volable[3], quand vous renfermez toutes choses, et faites sentinelle jour et nuit ?

HARPAGON : Je veux renfermer ce que bon me semble, et faire sentinelle comme il me plaît. Ne voilà pas de mes mouchards[4] qui prennent garde à ce qu'on fait ? Je tremble qu'il n'ait soupçonné quelque chose de mon argent. Ne serais-tu point homme à aller faire courir le bruit que j'ai chez moi de l'argent caché ?

---

1. Avant que.
2. Déformation de *diable*, que l'on n'ose pas nommer.
3. C'est là le premier emploi attesté dans la langue française de cet adjectif dont le sens — auquel on peut dérober son bien — est au demeurant très clair.
4. Espions.

LA FLÈCHE : Vous avez de l'argent caché ?

HARPAGON : Non, coquin, je ne dis pas cela. (*À part.*) J'enrage. Je demande si malicieusement[1] tu n'irais point faire courir le bruit que j'en ai.

LA FLÈCHE : Hé ! que nous importe que vous en ayez ou que vous n'en ayez pas, si c'est pour nous la même chose ?

HARPAGON : Tu fais le raisonneur. Je te baillerai[2] de ce raisonnement-ci par les oreilles. (*Il lève la main pour lui donner un soufflet.*) Sors d'ici, encore une fois.

LA FLÈCHE : Hé bien ! je sors.

HARPAGON : Attends. Ne m'emportes-tu rien ?

LA FLÈCHE : Que vous emporterais-je ?

HARPAGON : Viens çà, que je voie. Montre-moi tes mains.

LA FLÈCHE : Les voilà.

HARPAGON : Les autres.

LA FLÈCHE : Les autres ?

HARPAGON : Oui.

LA FLÈCHE : Les voilà.

HARPAGON : N'as-tu rien mis ici dedans ?

LA FLÈCHE : Voyez vous-même.

HARPAGON, *il tâte le bas de ses chausses* : Ces grands hauts-de-chausses sont propres à devenir les receleurs des choses qu'on dérobe ; et je voudrais qu'on en eût fait pendre quelqu'un[3].

---

1. Par malice.
2. Bailler, au sens de donner, est déjà vieilli à cette époque.
3. Je voudrais que l'on eût fait pendre un de ceux qui cachent le produit de leur vol dans leur culotte.

LA FLÈCHE: Ah! qu'un homme comme cela mériterait bien ce qu'il craint! et que j'aurais de joie à le
voler!

HARPAGON: Euh?

LA FLÈCHE: Quoi?

HARPAGON: Qu'est-ce que tu parles de voler?

LA FLÈCHE: Je dis que vous fouillez bien partout,
pour voir si je vous ai volé.

HARPAGON: C'est ce que je veux faire.

> (Il fouille dans les poches de La
> Flèche.)

LA FLÈCHE: La peste soit de l'avarice et des avaricieux!

HARPAGON: Comment? que dis-tu?

LA FLÈCHE: Ce que je dis?

HARPAGON: Oui, qu'est-ce que tu dis d'avarice et
d'avaricieux?

LA FLÈCHE: Je dis que la peste soit de l'avarice et
des avaricieux.

HARPAGON: De qui veux-tu parler?

LA FLÈCHE: Des avaricieux.

HARPAGON: Et qui sont-ils ces avaricieux?

LA FLÈCHE: Des vilains et des ladres.

HARPAGON: Mais qui est-ce que tu entends par là?

LA FLÈCHE: De quoi vous mettez-vous en peine?

HARPAGON: Je me mets en peine de ce qu'il faut.

LA FLÈCHE: Est-ce que vous croyez que je veux parler de vous?

HARPAGON: Je crois ce que je crois; mais je veux
que tu me dises à qui tu parles quand tu dis cela.

LA FLÈCHE: Je parle... je parle à mon bonnet.

HARPAGON: Et moi, je pourrais bien parler à ta barrette[1].

LA FLÈCHE: M'empêcherez-vous de maudire les avaricieux?

HARPAGON: Non; mais je t'empêcherai de jaser, et d'être insolent. Tais-toi.

LA FLÈCHE: Je ne nomme personne.

HARPAGON: Je te rosserai, si tu parles.

LA FLÈCHE: Qui se sent morveux, qu'il se mouche.

HARPAGON: Te tairas-tu?

LA FLÈCHE: Oui, malgré moi.

HARPAGON: Ha, ha!

LA FLÈCHE, *lui montrant une des poches de son justaucorps*: Tenez, voilà encore une poche: êtes-vous satisfait?

HARPAGON: Allons, rends-le-moi sans te fouiller[2].

LA FLÈCHE: Quoi?

HARPAGON: Ce que tu m'as pris.

LA FLÈCHE: Je ne vous ai rien pris du tout.

HARPAGON: Assurément?

LA FLÈCHE: Assurément.

HARPAGON: Adieu: va-t'en à tous les diables.

LA FLÈCHE: Me voilà fort bien congédié.

HARPAGON: Je te le mets sur ta conscience, au

---

1. Sorte de bonnet, petit et plat. Alors que «parler à son bonnet» signifie se parler à soi-même, «parler à la barrette de quelqu'un» signifie lui adresser des reproches.
2. Sans que je te fouille. En français moderne, «sans te fouiller» signifie sans que tu te fouilles toi-même.

moins. Voilà un pendard de valet qui m'incommode fort, et je ne me plais point à voir ce chien de boiteux-là[1].

Scène 4

ÉLISE, CLÉANTE,
HARPAGON

HARPAGON : Certes, ce n'est pas une petite peine que de garder chez soi une grande somme d'argent; et bienheureux qui a tout son fait[2] bien placé, et ne conserve seulement que ce qu'il faut pour sa dépense. On n'est pas peu embarrassé à inventer[3] dans toute une maison une cache fidèle[4]; car pour moi, les coffres-forts me sont suspects, et je ne veux jamais m'y fier : je les tiens justement une franche amorce à voleurs, et c'est toujours la première chose que l'on va attaquer. Cependant, je ne sais si j'aurai bien fait d'avoir enterré dans mon jardin dix mille écus[5] qu'on me rendit hier. Dix mille écus en or chez soi est une somme assez...

---

1. Louis Béjart (frère de Madeleine, Joseph, Geneviève et Armande), qui, à la création, tenait le rôle de La Flèche, était boiteux.

2. Tout son bien.

3. Découvrir (du latin *invenire*, trouver).

4. Une cachette sûre.

5. L'écu valant trois livres — la livre est l'unité — et une livre de l'époque valant environ 20 francs, soit un peu plus de 3 euros, il s'agit là d'une somme de 90 000 euros.

*(Ici le frère et la sœur paraissent
s'entretenant bas.)*

Ô Ciel! je me serai trahi moi-même: la chaleur
m'aura emporté, et je crois que j'ai parlé haut en rai-
sonnant tout seul. Qu'est-ce?

CLÉANTE: Rien, mon père.

HARPAGON: Y a-t-il longtemps que vous êtes là?

ÉLISE: Nous ne venons que d'arriver.

HARPAGON: Vous avez entendu...

CLÉANTE: Quoi, mon père?

HARPAGON: Là...

ÉLISE: Quoi?

HARPAGON: Ce que je viens de dire.

CLÉANTE: Non.

HARPAGON: Si fait, si fait.

ÉLISE: Pardonnez-moi.

HARPAGON: Je vois bien que vous en avez ouï
quelques mots. C'est que je m'entretenais en moi-
même de la peine qu'il y a aujourd'hui à trouver de
l'argent, et je disais qu'il est bienheureux qui[1] peut
avoir dix mille écus chez soi.

CLÉANTE: Nous feignions[2] à vous aborder, de peur
de vous interrompre.

HARPAGON: Je suis bien aise de vous dire cela, afin
que vous n'alliez pas prendre les choses de travers
et vous imaginer que je dise que c'est moi qui ai dix
mille écus.

CLÉANTE: Nous n'entrons point dans vos affaires.

---

1. Celui qui.
2. Nous hésitions à.

HARPAGON : Plût à Dieu que je les eusse, dix mille écus !

CLÉANTE : Je ne crois pas...

HARPAGON : Ce serait une bonne affaire pour moi.

ÉLISE : Ce sont des choses...

HARPAGON : J'en aurais bon besoin.

CLÉANTE : Je pense que...

HARPAGON : Cela m'accommoderait[1] fort.

ÉLISE : Vous êtes...

HARPAGON : Et je ne me plaindrais pas, comme je fais, que le temps est misérable[2].

CLÉANTE : Mon Dieu ! mon père, vous n'avez pas lieu de vous plaindre, et l'on sait que vous avez assez de bien[3].

HARPAGON : Comment ? j'ai assez de bien ! Ceux qui le disent en ont menti. Il n'y a rien de plus faux ; et ce sont des coquins qui font courir tous ces bruits-là.

ÉLISE : Ne vous mettez point en colère.

HARPAGON : Cela est étrange, que mes propres enfants me trahissent et deviennent mes ennemis !

CLÉANTE : Est-ce être votre ennemi que de dire que vous avez du bien ?

HARPAGON : Oui : de pareils discours et les dépenses que vous faites seront cause qu'un de ces jours on me viendra chez moi couper la gorge[4], dans la pensée que je suis tout cousu de pistoles[5].

---

1. Me donnerait l'aisance.
2. Digne de pitié.
3. Beaucoup ou du moins suffisamment de bien.
4. Le 24 août 1665, Jacques Tardieu, lieutenant criminel, et sa femme, dont l'avarice était légendaire, avaient été assassinés.
5. La Fontaine (« Le savetier et le financier », VIII, 2) dit le

CLÉANTE: Quelle grande dépense est-ce que je fais?

HARPAGON: Quelle? Est-il rien de plus scandaleux que ce somptueux équipage[1] que vous promenez par la ville? Je querellais hier votre sœur; mais c'est encore pis. Voilà qui crie vengeance au Ciel; et à vous prendre depuis les pieds jusqu'à la tête, il y aurait là de quoi faire une bonne constitution[2]. Je vous l'ai dit vingt fois, mon fils, toutes vos manières me déplaisent fort: vous donnez furieusement dans le marquis[3]; et pour aller ainsi vêtu, il faut bien que vous me dérobiez.

CLÉANTE: Hé! comment vous dérober?

HARPAGON: Que sais-je? Où pouvez-vous donc prendre de quoi entretenir l'état[4] que vous portez?

CLÉANTE: Moi, mon père? C'est que je joue; et comme je suis fort heureux, je mets sur moi tout l'argent que je gagne.

HARPAGON: C'est fort mal fait. Si vous êtes heureux au jeu, vous en devriez profiter, et mettre à honnête intérêt[5] l'argent que vous gagnez afin de le trouver un jour. Je voudrais bien savoir, sans parler

---

second de ces personnages «cousu d'or». L'expression peut s'expliquer par référence à l'habitude qu'auraient eu les avares de coudre leur argent dans leurs habits ou aux broderies d'or qui ornaient les vêtements des grands seigneurs. Comme le louis, la pistole valait à l'époque 11 livres.

1. Ce terme, au xviie siècle, avait un sens plus général. Il désignait la toilette et même le train de vie.

2. Bonne rente, bon placement.

3. *Dans* évoquant une forte inclination, l'expression signifie: Vous jouez fort au marquis, vous imitez les marquis avec conviction.

4. Train de vie.

5. Ce que rapporte l'argent.

du reste, à quoi servent tous ces rubans dont vous voilà lardé depuis les pieds jusqu'à la tête, et si une demi-douzaine d'aiguillettes[1] ne suffit pas pour attacher un haut-de-chausses? Il est bien nécessaire d'employer de l'argent à des perruques, lorsque l'on peut porter des cheveux de son cru, qui ne coûtent rien. Je vais gager qu'en perruques et rubans, il y a du moins vingt pistoles; et vingt pistoles rapportent par année dix-huit livres six sols huit deniers, à ne les placer qu'au denier douze[2].

CLÉANTE: Vous avez raison.

HARPAGON: Laissons cela, et parlons d'autre affaire. Euh? Je crois qu'ils se font signe l'un et l'autre de me voler ma bourse. Que veulent dire ces gestes-là?

ÉLISE: Nous marchandons[3] mon frère et moi, à qui parlera le premier; et nous avons tous deux quelque chose à vous dire.

HARPAGON: Et moi, j'ai quelque chose aussi à vous dire à tous deux.

CLÉANTE: C'est de mariage, mon père, que nous désirons vous parler.

_____

1. Lacets ferrés par lesquels on attachait le haut-de-chausses (la culotte) au pourpoint (qui couvre le torse).
2. Le taux, autrement dit le denier, légal, ou taux du roi, était fixé, par l'édit de 1665, au vingtième de la somme; on prêtait alors à 5 %. Mais on empruntait couramment au denier huit, soit à 12 %. Placer au denier douze (autrement dit à 8,33 %) c'est faire preuve d'une certaine modération. Par ailleurs le compte est juste : placer 20 pistoles, autrement dit 220 livres, à 8,33 %, c'est s'assurer un intérêt de 18 livres pour les 216 premières livres et, pour les 4 livres restantes, un supplément de 6 sols (le sol vaut un vingtième de livre) et 8 deniers (le denier, en tant que monnaie, vaut un douzième de sol).
3. Nous hésitons.

HARPAGON: Et c'est de mariage aussi que je veux vous entretenir.

ÉLISE: Ah! mon père.

HARPAGON: Pourquoi ce cri? Est-ce le mot, ma fille, ou la chose, qui vous fait peur?

CLÉANTE: Le mariage peut nous faire peur à tous deux, de la façon que vous pouvez l'entendre; et nous craignons que nos sentiments ne soient pas d'accord avec votre choix.

HARPAGON: Un peu de patience. Ne vous alarmez point. Je sais ce qu'il faut à tous deux; et vous n'aurez ni l'un ni l'autre aucun lieu de vous plaindre de tout ce que je prétends faire. Et pour commencer par un bout: avez-vous vu, dites-moi, une jeune personne appelée Mariane, qui ne loge pas loin d'ici?

CLÉANTE: Oui, mon père.

HARPAGON: Et vous?

ÉLISE: J'en ai ouï parler.

HARPAGON: Comment, mon fils, trouvez-vous cette fille?

CLÉANTE: Une fort charmante personne.

HARPAGON: Sa physionomie?

CLÉANTE: Toute honnête[1], et pleine d'esprit.

HARPAGON: Son air et sa manière?

CLÉANTE: Admirables, sans doute[2].

HARPAGON: Ne croyez-vous pas qu'une fille comme cela mériterait assez que l'on songeât à elle?

CLÉANTE: Oui, mon père.

---

1. Convenable.
2. Sans aucun doute.

HARPAGON : Que ce serait un parti souhaitable ?

CLÉANTE : Très souhaitable.

HARPAGON : Qu'elle a toute mine de faire un bon ménage[1] ?

CLÉANTE : Sans doute.

HARPAGON : Et qu'un mari aurait satisfaction avec elle ?

CLÉANTE : Assurément.

HARPAGON : Il y a une petite difficulté : c'est que j'ai peur qu'il n'y ait pas avec elle tout le bien qu'on pourrait prétendre.

CLÉANTE : Ah ! mon père, le bien n'est pas considérable[2], lorsqu'il est question d'épouser une honnête personne.

HARPAGON : Pardonnez-moi, pardonnez-moi. Mais ce qu'il y a à dire, c'est que si l'on n'y trouve pas tout le bien qu'on souhaite, on peut tâcher de regagner cela sur autre chose.

CLÉANTE : Cela s'entend.

HARPAGON : Enfin, je suis bien aise de vous voir dans mes sentiments ; car son maintien honnête et sa douceur m'ont gagné l'âme, et je suis résolu de l'épouser, pourvu que j'y trouve quelque bien.

CLÉANTE : Euh ?

HARPAGON : Comment ?

CLÉANTE : Vous êtes résolu, dites-vous… ?

HARPAGON : D'épouser Mariane.

CLÉANTE : Qui, vous ? vous ?

---

1. Façon de tenir la maison.
2. Digne d'être pris en considération.

HARPAGON : Oui, moi, moi, moi. Que veut dire cela ?

CLÉANTE : Il m'a pris tout à coup un éblouissement, et je me retire d'ici.

HARPAGON : Cela ne sera rien. Allez vite boire dans la cuisine un grand verre d'eau claire. Voilà de mes damoiseaux[1] flouets[2], qui n'ont non plus de vigueur que des poules[3]. C'est là, ma fille, ce que j'ai résolu pour moi. Quant à ton frère, je lui destine une certaine veuve dont ce matin on m'est venu parler ; et pour toi, je te donne au seigneur Anselme.

ÉLISE : Au seigneur[4] Anselme ?

HARPAGON : Oui, un homme mûr, prudent et sage, qui n'a pas plus de cinquante ans, et dont on vante les grands biens.

ÉLISE. *Elle fait une révérence.* Je ne veux point me marier, mon père, s'il vous plaît.

HARPAGON. *Il contrefait sa révérence.* Et moi, ma petite fille ma mie[5], je veux que vous vous mariiez, s'il vous plaît.

ÉLISE : Je vous demande pardon, mon père.

HARPAGON : Je vous demande pardon, ma fille.

ÉLISE : Je suis très humble servante au seigneur

---

1. Jeunes galants qui prétendent à l'élégance. Au Moyen Âge, « damoiseau » désignait le gentilhomme qui n'était pas encore chevalier.

2. Fluets, donc minces et délicats.

3. Pour se moquer de celui que l'on dirait aujourd'hui être une femmelette, on employait au XVIIe siècle les termes *poule mouillée, poule laitée* ou *tâte poule.*

4. Le terme, fréquemment employé dans le registre comique, ne suppose pas une appartenance sociale élevée.

5. Variation orthographique de *m'amie.* On n'avait pas encore l'habitude d'employer les formes masculines — mon, ton, son — devant un nom féminin commençant par une voyelle.

Anselme ; mais, avec votre permission, je ne l'épouserai point.

HARPAGON : je suis votre très humble valet ; mais, avec votre permission, vous l'épouserez dès ce soir.

ÉLISE : Dès ce soir ?

HARPAGON : Dès ce soir.

ÉLISE : Cela ne sera pas, mon père.

HARPAGON : Cela sera, ma fille.

ÉLISE : Non.

HARPAGON : Si.

ÉLISE : Non, vous dis-je.

HARPAGON : Si, vous dis-je.

ÉLISE : C'est une chose où vous ne me réduirez point.

HARPAGON : C'est une chose où je te réduirai.

ÉLISE : Je me tuerai plutôt que d'épouser un tel mari.

HARPAGON : Tu ne te tueras point, et tu l'épouseras. Mais voyez quelle audace ! A-t-on jamais vu une fille parler de la sorte à son père ?

ÉLISE : Mais a-t-on jamais vu un père marier sa fille de la sorte ?

HARPAGON : C'est un parti où il n'y a rien à redire ; et je gage que tout le monde approuvera mon choix.

ÉLISE : Et moi, je gage qu'il ne saurait être approuvé d'aucune personne raisonnable.

HARPAGON : Voilà Valère : veux-tu qu'entre nous deux nous le fassions juge de cette affaire ?

ÉLISE : J'y consens.

HARPAGON : Te rendras-tu à son jugement ?

ÉLISE : Oui, j'en passerai par ce qu'il dira.

HARPAGON : Voilà qui est fait.

Scène 5

VALÈRE, HARPAGON, ÉLISE

HARPAGON: Ici, Valère. Nous t'avons élu pour nous dire qui a raison, de ma fille ou de moi.

VALÈRE: C'est vous, Monsieur, sans contredit.

HARPAGON: Sais-tu bien de quoi nous parlons?

VALÈRE: Non; mais vous ne sauriez avoir tort, et vous êtes toute raison.

HARPAGON: Je veux ce soir lui donner pour époux un homme aussi riche que sage; et la coquine me dit au nez qu'elle se moque de le prendre. Que dis-tu de cela?

VALÈRE: Ce que j'en dis?

HARPAGON: Oui.

VALÈRE: Eh, eh.

HARPAGON: Quoi?

VALÈRE: Je dis que dans le fond je suis de votre sentiment; et vous ne pouvez pas que vous n'ayez raison[1]. Mais aussi n'a-t-elle pas tort tout à fait, et...

HARPAGON: Comment? le seigneur Anselme est un parti considérable[2]; c'est un gentilhomme qui est noble[3], doux, posé, sage, et fort accommodé, et

---

1. Il n'est pas possible que vous n'ayez pas raison.
2. Cf. n. 2 page 27.
3. On attendrait plutôt un noble qui est gentilhomme. On pouvait en effet être noble (en l'occurrence anobli) sans être gentil-

auquel il ne reste aucun enfant de son premier mariage. Saurait-elle mieux rencontrer?

VALÈRE: Cela est vrai. Mais elle pourrait vous dire que c'est un peu précipiter les choses, et qu'il faudrait au moins quelque temps pour voir si son inclination pourra s'accommoder[1] avec...

HARPAGON: C'est une occasion qu'il faut prendre vite aux cheveux. Je trouve ici un avantage qu'ailleurs je ne trouverais pas, et il s'engage à la prendre sans dot.

VALÈRE: Sans dot?

HARPAGON: Oui.

VALÈRE: Ah! je ne dis plus rien. Voyez-vous? voilà une raison tout à fait convaincante; il se faut rendre à cela.

HARPAGON: C'est pour moi une épargne considérable.

VALÈRE: Assurément, cela ne reçoit point de contradiction. Il est vrai que votre fille vous peut représenter que le mariage est une plus grande affaire qu'on ne peut croire; qu'il y va d'être heureux ou malheureux toute sa vie; et qu'un engagement qui doit durer jusqu'à la mort ne se doit jamais faire qu'avec de grandes précautions.

HARPAGON: Sans dot.

VALÈRE: Vous avez raison: voilà qui décide tout, cela s'entend. Il y a des gens qui pourraient vous dire

---

homme (pourvu d'une ascendance noble). Il était courant au XVIIᵉ siècle de se moquer de ces parvenus qui pensaient que l'achat d'une charge ou d'une terre pouvait valoir la naissance.
1. Cf. n. 5 page 14 et n. 1 page 23.

qu'en de telles occasions l'inclination d'une fille est une chose sans doute où l'on doit avoir de l'égard ; et que cette grande inégalité d'âge, d'humeur et de sentiments, rend un mariage sujet à des accidents très fâcheux.

HARPAGON : Sans dot.

VALÈRE : Ah ! il n'y a pas de réplique à cela : on le sait bien ; qui diantre peut aller là contre ? Ce n'est pas qu'il n'y ait quantité de pères qui aimeraient mieux ménager la satisfaction de leurs filles que l'argent qu'ils pourraient donner ; qui ne les voudraient point sacrifier à l'intérêt, et chercheraient plus que toute autre chose à mettre dans un mariage cette douce conformité qui sans cesse y maintient l'honneur, la tranquillité et la joie, et que…

HARPAGON : Sans dot.

VALÈRE : Il est vrai : cela ferme la bouche à tout, *sans dot*. Le moyen de résister à une raison comme celle-là ?

HARPAGON. *Il regarde vers le jardin.* Ouais ! il me semble que j'entends un chien qui aboie. N'est-ce point qu'on en voudrait à mon argent ? Ne bougez, je reviens tout à l'heure[1].

ÉLISE : Vous moquez-vous, Valère, de lui parler comme vous faites ?

VALÈRE : C'est pour ne point l'aigrir, et pour en venir mieux à bout. Heurter de front ses sentiments est le moyen de tout gâter ; et il y a de certains esprits qu'il ne faut prendre qu'en biaisant[2], des tempéraments

---

1. Cf. n. 2 page 16. Immédiatement.
2. Prenant un chemin détourné.

ennemis de toute résistance, des naturels rétifs, que la vérité fait cabrer, qui toujours se roidissent contre le droit chemin de la raison, et qu'on ne mène qu'en tournant où l'on veut les conduire. Faites semblant de consentir à ce qu'il veut, vous en viendrez mieux à vos fins, et...

ÉLISE : Mais ce mariage, Valère ?

VALÈRE : On cherchera des biais pour le rompre.

ÉLISE : Mais quelle invention trouver, s'il se doit conclure ce soir ?

VALÈRE : Il faut demander un délai, et feindre quelque maladie.

ÉLISE : Mais on découvrira la feinte, si l'on appelle des médecins.

VALÈRE : Vous moquez-vous ? Y connaissent-ils quelque chose ? Allez, allez, vous pourrez avec eux avoir quel mal il vous plaira[1], ils vous trouveront des raisons pour vous dire d'où cela vient.

HARPAGON : Ce n'est rien, Dieu merci.

VALÈRE : Enfin, notre dernier recours, c'est que la fuite nous peut mettre à couvert de tout ; et si votre amour, belle Élise, est capable d'une fermeté... *(Il aperçoit Harpagon.)* Oui, il faut qu'une fille obéisse à son père. Il ne faut point qu'elle regarde comme un mari est fait, et lorsque la grande raison de *sans dot* s'y rencontre, elle doit être prête à prendre tout ce qu'on lui donne.

HARPAGON : Bon. Voilà bien parlé, cela.

VALÈRE : Monsieur, je vous demande pardon si je

---

1. Tel mal qu'il vous plaira.

m'emporte un peu et prends la hardiesse de lui parler comme je fais.

HARPAGON : Comment ? j'en suis ravi, et je veux que tu prennes sur elle un pouvoir absolu. Oui, tu as beau fuir. Je lui donne l'autorité que le Ciel me donne sur toi, et j'entends que tu fasses tout ce qu'il te dira.

VALÈRE : Après cela, résistez à mes remontrances. Monsieur, je vais la suivre, pour lui continuer les leçons que je lui faisais.

HARPAGON : Oui, tu m'obligeras. Certes…

VALÈRE : Il est bon de lui tenir un peu la bride haute.

HARPAGON : Cela est vrai. Il faut…

VALÈRE : Ne vous mettez pas en peine. Je crois que j'en viendrai à bout.

HARPAGON : Fais, fais. Je m'en vais faire un petit tour en ville, et reviens tout à l'heure.

VALÈRE : Oui, l'argent est plus précieux que toutes les choses du monde, et vous devez rendre grâces au Ciel de l'honnête homme de père qu'il vous a donné. Il sait ce que c'est que de vivre. Lorsqu'on s'offre de prendre une fille sans dot, on ne doit point regarder plus avant. Tout est renfermé là-dedans, et *sans dot* tient lieu de beauté, de jeunesse, de naissance, d'honneur, de sagesse et de probité.

HARPAGON : Ah ! le brave garçon ! Voilà parlé comme un oracle. Heureux qui peut avoir un domestique de la sorte !

Acte II

Scène I

CLÉANTE, LA FLÈCHE

CLÉANTE: Ah! traître que tu es, où t'es-tu donc allé fourrer? Ne t'avais-je pas donné ordre...

LA FLÈCHE: Oui, Monsieur, et je m'étais rendu ici pour vous attendre de pied ferme; mais Monsieur votre père, le plus malgracieux[1] des hommes, m'a chassé dehors malgré moi, et j'ai couru risque d'être battu.

CLÉANTE: Comment va notre affaire? Les choses pressent plus que jamais; et depuis que je ne t'ai vu, j'ai découvert que mon père est mon rival.

LA FLÈCHE: Votre père amoureux?

CLÉANTE: Oui; et j'ai eu toutes les peines du monde à lui cacher le trouble où cette nouvelle m'a mis.

LA FLÈCHE: Lui se mêler d'aimer! De quoi diable

---

1. Qui agit avec mauvaise grâce, peu courtois.

s'avise-t-il ? Se moque-t-il du monde ? Et l'amour a-t-il été fait pour des gens bâtis comme lui ?

CLÉANTE : Il a fallu, pour mes péchés[1], que cette passion lui soit venue en tête.

LA FLÈCHE : Mais par quelle raison lui faire un mystère de votre amour ?

CLÉANTE : Pour lui donner moins de soupçon, et me conserver au besoin des ouvertures[2] plus aisées pour détourner ce mariage. Quelle réponse t'a-t-on faite ?

LA FLÈCHE : Ma foi ! Monsieur, ceux qui empruntent sont bien malheureux ; et il faut essuyer d'étranges choses lorsqu'on en est réduit à passer, comme vous, par les mains des fesse-mathieux[3].

CLÉANTE : L'affaire ne se fera point ?

LA FLÈCHE : Pardonnez-moi. Notre maître Simon, le courtier[4] qu'on nous a donné, homme agissant[5] et plein de zèle, dit qu'il a fait rage[6] pour vous ; et il assure que votre seule physionomie lui a gagné le cœur.

CLÉANTE : J'aurai les quinze mille francs que je demande ?

LA FLÈCHE : Oui ; mais à quelques petites conditions, qu'il faudra que vous acceptiez, si vous avez dessein que les choses se fassent.

---

1. Pour me punir de mes péchés, pour me faire faire pénitence.

2. Moyens.

3. Avare. Saint Matthieu ayant été, avant sa conversion, usurier, *fesse* peut être la déformation de *fête* ou de *fait le*.

4. Intermédiaire entre acheteur et vendeur, emprunteur et usurier.

5. Le participe présent est ici employé à la place de l'adjectif du même radical, actif.

6. S'est dépensé avec rage, c'est-à-dire énergiquement.

CLÉANTE: T'a-t-il fait parler à celui qui doit prêter l'argent?

LA FLÈCHE: Ah! vraiment, cela ne va pas de la sorte. Il apporte encore plus de soin à se cacher que vous, et ce sont des mystères bien plus grands que vous ne pensez. On ne veut point du tout dire son nom, et l'on doit aujourd'hui l'aboucher avec vous, dans une maison empruntée, pour être instruit, par votre bouche, de votre bien et de votre famille; et je ne doute point que le seul nom de votre père ne rende les choses faciles.

CLÉANTE: Et principalement notre mère étant morte, dont on ne peut m'ôter le bien [1].

LA FLÈCHE: Voici quelques articles qu'il a dictés lui-même à notre entremetteur, pour vous être montrés, avant que de rien faire:

> *Supposé que le prêteur voie toutes ses sûretés, et que l'emprunteur soit majeur, et d'une famille où le bien soit ample, solide, assuré, clair, et net de tout embarras, on fera une bonne et exacte obligation par-devant un notaire, le plus honnête homme qu'il se pourra, et qui, pour cet effet, sera choisi par le prêteur, auquel il importe le plus que l'acte soit dûment dressé.*

CLÉANTE: Il n'y a rien à dire à cela.

LA FLÈCHE: Le prêteur, pour ne charger sa

---

1. À leur majorité, Cléante et Élise doivent hériter de ce qui appartenait en propre à leur défunte mère.

conscience d'aucun scrupule, prétend ne donner son argent qu'au denier dix-huit[1].

CLÉANTE : Au denier dix-huit ! Parbleu ! voilà qui est honnête. Il n'y a pas lieu de se plaindre.

LA FLÈCHE : Cela est vrai.

> *Mais comme ledit prêteur n'a pas chez lui la somme dont il est question, et que pour faire plaisir à l'emprunteur, il est contraint lui-même de l'emprunter d'un autre, sur le pied du denier cinq, il conviendra que ledit premier emprunteur paye cet intérêt, sans préjudice du reste, attendu que ce n'est que pour l'obliger que ledit prêteur s'engage à cet emprunt.*

CLÉANTE : Comment diable ! quel Juif, quel Arabe est-ce là ? C'est plus qu'au denier quatre[2].

LA FLÈCHE : Il est vrai ; c'est ce que j'ai dit. Vous avez à voir là-dessus.

CLÉANTE : Que veux-tu que je voie ? J'ai besoin d'argent ; et il faut bien que je consente à tout.

LA FLÈCHE : C'est la réponse que j'ai faite.

CLÉANTE : Il y a encore quelque chose ?

LA FLÈCHE : Ce n'est plus qu'un petit article.

> *Des quinze mille francs qu'on demande, le prêteur ne pourra*

---

1. Le taux est alors de 5,5 %, ce qui est tout à fait convenable, cf. n. 2 page 25.
2. Le taux est alors de 25 %, ce qui est excessif puisqu'une somme rapporte alors à celui qui la prête le quart de sa valeur.

> *compter en argent que douze mille livres, et pour les mille écus restants, il faudra que l'emprunteur prenne les hardes, nippes[1] et bijoux dont s'ensuit le mémoire, et que ledit prêteur a mis, de bonne foi, au plus modique prix qu'il lui a été possible.*

CLÉANTE : Que veut dire cela ?

LA FLÈCHE : Écoutez le mémoire.

> *Premièrement, un lit de quatre pieds[2], à bandes de point de Hongrie[3], appliquées fort proprement[4] sur un drap de couleur d'olive, avec six chaises et la courtepointe[5] de même ; le tout bien conditionné, et doublé d'un petit taffetas changeant rouge et bleu.*
>
> *Plus, un pavillon à queue[6], d'une*

---

1. Les hardes sont non seulement les habits mais encore les meubles portatifs, les nippes sont les petits meubles. Par ailleurs on opposait les hardes (vêtements) et les nippes (linge). Tous objets que, parce qu'ils sont en mauvais état, l'emprunteur avait souvent beaucoup de mal à vendre pour obtenir les espèces dont il avait besoin.

2. Un pied mesurait environ 30 centimètres. Au XVIIᵉ siècle les lits étaient en effet plus courts que de nos jours car on dormait presque assis.

3. Ornements de tapisserie ou de broderie, où le point utilisé a la particularité de comporter des motifs en V.

4. Avec élégance.

5. Dessus-de-lit piqué. Du latin *culcita*, matelas ou lit de plume, et du participe passé passif de *poindre*, piquer.

6. Garniture de lit en forme de tente attachée au plafond par de la passementerie (galons, franges, etc.).

> bonne serge[1] d'Aumale rose-sèche,
> avec le mollet[2] et les franges de
> soie.

CLÉANTE: Que veut-il que je fasse de cela?
LA FLÈCHE: Attendez.

> *Plus, une tenture de tapisserie des*
> *amours de Gombaut et de Macée[3].*
> *Plus, une grande table de bois de*
> *noyer, à douze colonnes ou piliers*
> *tournés, qui se tire par les deux*
> *bouts, et garnie par le dessous de*
> *ses six escabelles[4].*

CLÉANTE: Qu'ai-je affaire, morbleu…?
LA FLÈCHE: Donnez-vous patience.

> *Plus, trois gros mousquets[5] tout*
> *garnis de nacre de perles, avec*

---

1. Tissu de laine léger.
2. Frange d'environ un centimètre.
3. Un des huit panneaux de la tapisserie inspirée par le sujet champêtre qui est traité dans une églogue populaire, et qui comportent chacun une pièce de six strophes de trois vers suivies de cinq vers sur deux rimes contenant la moralité du sujet. Les premiers panneaux représentent les jeux et les plaisirs des paysans, puis viennent la scène des fiançailles, celle du festin des noces et celle de la mort du héros. Ce drame devrait plutôt s'intituler *Histoire de Gombaut*, car Macée n'apparaît qu'à deux ou trois reprises. La forme et la langue des poèmes sont de la fin du xve siècle, époque à laquelle appartiennent aussi les costumes. Mais aucun manuscrit, aucune tapisserie de cette suite ne remonte aussi haut. Le plus ancien des *Gombaut et Macée* dont on connaisse l'existence date du premier quart du xvie siècle, le plus ancien de ceux que l'on connaît vraiment date de l'époque de Henri IV.
4. Tabourets de bois.
5. Armes à feu employées aux xvie et xviie siècles.

les trois fourchettes[1] assortis-
santes[2].

Plus, un fourneau de brique, avec
deux cornues, et trois récipients, fort
utiles à ceux qui sont curieux de dis-
tiller[3].

CLÉANTE : J'enrage.
LA FLÈCHE : Doucement.

Plus, un luth de Bologne[4], garni de
toutes ses cordes, ou peu s'en faut.

Plus, un trou-madame[5], et un
damier, avec un jeu de l'oie renou-
velé des Grecs[6], fort propres à passer le temps lorsque l'on n'a que
faire.

Plus, une peau de lézard de trois
pieds et demi, remplie de foin, curio-
sité agréable pour pendre au plancher d'une chambre[7].

---

1. Fourches sur lesquelles, jusqu'en 1650, reposaient, en raison de leur poids, les mousquets.
2. Assorties.
3. Le fourneau, les cornues et les récipients étant les instruments des alchimistes, on peut imaginer qu'Harpagon est inté-
ressé par ceux qui recherchent la pierre philosophale, qui, selon
eux, devait assurer la transmutation des métaux en or.
4. Ceux de ces instruments de musique qui étaient fabriqués à
Bologne (en Italie) jouissaient d'une très bonne réputation.
5. Jeu de 13 boules que l'on doit faire rouler vers des trous qui,
selon le cas, font gagner ou perdre le joueur.
6. Il semble qu'en effet le jeu de l'oie soit une invention
grecque.
7. Vu la longueur (plus d'un mètre), il s'agit plutôt d'un cro-
codile, animal qui, empaillé, pouvait, lui aussi, décorer le *plancher*
(le plafond) d'une pièce.

> *Le tout, ci-dessus mentionné,*
> *valant loyalement plus de quatre*
> *mille cinq cents livres, et rabaissé à*
> *la valeur de mille écus[1], par la dis-*
> *crétion[2] du prêteur.*

CLÉANTE : Que la peste l'étouffe avec sa discrétion, le traître, le bourreau qu'il est ! A-t-on jamais parlé d'une usure semblable ? Et n'est-il pas content du furieux intérêt qu'il exige, sans vouloir encore m'obliger à prendre, pour trois mille livres, les vieux rogatons qu'il ramasse ? Je n'aurai pas deux cents écus de tout cela ; et cependant il faut bien me résoudre à consentir à ce qu'il veut ; car il est en état de me faire tout accepter, et il me tient, le scélérat, le poignard sur la gorge.

LA FLÈCHE : Je vous vois, Monsieur, ne vous en déplaise, dans le grand chemin justement que tenait Panurge pour se ruiner, prenant argent d'avance, achetant cher, vendant à bon marché, et mangeant son blé en herbe[3].

CLÉANTE : Que veux-tu que j'y fasse ? Voilà où les jeunes gens sont réduits par la maudite avarice des pères ; et on s'étonne après cela que les fils souhaitent qu'ils meurent.

LA FLÈCHE : Il faut avouer que le vôtre animerait contre sa vilenie le plus posé homme du monde. Je

---

1. L'écu valant trois livres, les sommes avancées correspondent à 240 000 et 60 000 F, autrement dit à 36 584 euros et quelques et un peu plus de 9 146 euros.
2. Modération.
3. Cf. le titre du chapitre 2 du *Tiers Livre* de Rabelais : « Comment Panurge fut fait châtelain de Salmigondin en Dipsodie et mangeait son blé en herbe. »

n'ai pas, Dieu merci, les inclinations fort patibu-
laires[1] ; et parmi mes confrères que je vois se mêler
de beaucoup de petits commerces, je sais tirer adroitement mon épingle du jeu, et me démêler prudem-
ment de toutes les galanteries[2] qui sentent tant soit
peu l'échelle ; mais, à vous dire vrai, il me donnerait,
par ses procédés, des tentations de le voler ; et je
croirais, en le volant, faire une action méritoire.

CLÉANTE : Donne-moi un peu ce mémoire, que je le
voie encore.

Scène 2

MAÎTRE SIMON,
HARPAGON, CLÉANTE,
LA FLÈCHE

MAÎTRE SIMON : Oui, Monsieur, c'est un jeune
homme qui a besoin d'argent. Ses affaires le pressent
d'en trouver, et il en passera par tout ce que vous en
prescrirez.

HARPAGON : Mais croyez-vous, maître Simon, qu'il
n'y ait rien à péricliter[3] ? et savez-vous le nom, les
biens et la famille de celui pour qui vous parlez ?

---

1. Du latin *patibulum*, gibet, qui mérite la potence.
2. Ce mot est employé par euphémisme (procédé qui consiste
à atténuer et qui, par exemple, fait dire *n'être plus jeune* pour *être
vieux*) ironique puisque les crimes qui font monter les marches
du gibet sont assimilés à des fantaisies légères et innocentes.
3. Ce verbe, qui signifie d'abord *être en danger*, signifie aussi
craindre.

MAÎTRE SIMON : Non, je ne puis pas bien vous en instruire à fond, et ce n'est que par aventure que l'on m'a adressé à lui ; mais vous serez de toutes choses éclairci par lui-même ; et son homme m'a assuré que vous serez content, quand vous le connaîtrez. Tout ce que je saurais vous dire, c'est que sa famille est fort riche, qu'il n'a plus de mère déjà, et qu'il s'obligera[1], si vous voulez, que son père mourra avant qu'il soit huit mois.

HARPAGON : C'est quelque chose que cela. La charité, maître Simon, nous oblige à faire plaisir aux personnes, lorsque nous le pouvons.

MAÎTRE SIMON : Cela s'entend.

LA FLÈCHE : Que veut dire ceci ? Notre maître Simon qui parle à votre père.

CLÉANTE : Lui aurait-on appris qui je suis ? et serais-tu pour nous trahir[2] ?

MAÎTRE SIMON : Ah ! ah ! vous êtes bien pressés ! Qui vous a dit que c'était céans ? Ce n'est pas moi, Monsieur, au moins, qui leur ai découvert votre nom et votre logis ; mais, à mon avis, il n'y a pas grand mal à cela. Ce sont des personnes discrètes, et vous pouvez ici vous expliquer ensemble.

HARPAGON : Comment ?

MAÎTRE SIMON : Monsieur est la personne qui veut vous emprunter les quinze mille livres dont je vous ai parlé.

HARPAGON : Comment, pendard ? c'est toi qui t'abandonnes à ces coupables extrémités ?

---

1. Il s'engagera.
2. Serais-tu susceptible, capable, de nous trahir ?

CLÉANTE : Comment, mon père ? c'est vous qui vous portez à ces honteuses actions ?

HARPAGON : C'est toi qui te veux ruiner par des emprunts si condamnables ?

CLÉANTE : C'est vous qui cherchez à vous enrichir par des usures si criminelles ?

HARPAGON : Oses-tu bien, après cela, paraître devant moi ?

CLÉANTE : Osez-vous bien, après cela, vous présenter aux yeux du monde ?

HARPAGON : N'as-tu point de honte, dis-moi, d'en venir à ces débauches-là ? de te précipiter dans des dépenses effroyables ? et de faire une honteuse dissipation du bien que tes parents t'ont amassé avec tant de sueurs ?

CLÉANTE : Ne rougissez-vous point de déshonorer votre condition par les commerces que vous faites ? de sacrifier gloire[1] et réputation au désir insatiable d'entasser écu sur écu, et de renchérir, en fait d'intérêts, sur les plus infâmes subtilités qu'aient jamais inventées les plus célèbres usuriers ?

HARPAGON : Ôte-toi de mes yeux, coquin ! ôte-toi de mes yeux !

CLÉANTE : Qui est plus criminel, à votre avis, ou celui qui achète un argent dont il a besoin, ou bien celui qui vole un argent dont il n'a que faire ?

HARPAGON : Retire-toi, te dis-je, et ne m'échauffe pas les oreilles. Je ne suis pas fâché de cette aventure ; et ce m'est un avis de tenir l'œil, plus que jamais, sur toutes ses actions.

---

1. Honneur, renommée.

Scène 3

FROSINE, HARPAGON

FROSINE: Monsieur…

HARPAGON: Attendez un moment; je vais revenir vous parler. Il est à propos que je fasse un petit tour à mon argent.

Scène 4

LA FLÈCHE, FROSINE

LA FLÈCHE: L'aventure est tout à fait drôle. Il faut bien qu'il ait quelque part un ample magasin de hardes[1]; car nous n'avons rien reconnu au mémoire que nous avons.

FROSINE: Hé! c'est toi, mon pauvre La Flèche! D'où vient cette rencontre?

LA FLÈCHE: Ah! ah! c'est toi, Frosine. Que viens-tu faire ici?

FROSINE: Ce que je fais partout ailleurs: m'entremettre d'affaires, me rendre serviable aux gens, et

---

1. Ces objets sans valeur (vêtements, meubles, petits ou portatifs) sont ceux qu'il n'a pas encore écoulés et dont certains peuvent provenir des saisies opérées chez les créanciers insolvables.

profiter du mieux qu'il m'est possible des petits talents que je puis avoir. Tu sais que dans ce monde il faut vivre d'adresse, et qu'aux personnes comme moi le Ciel n'a donné d'autres rentes que l'intrigue et que l'industrie[1].

LA FLÈCHE : As-tu quelque négoce avec le patron du logis ?

FROSINE : Oui, je traite pour lui quelque petite affaire, dont j'espère une récompense.

LA FLÈCHE : De lui ? Ah, ma foi ! tu seras bien fine si tu en tires quelque chose ; et je te donne avis que l'argent céans est fort cher.

FROSINE : Il y a de certains services qui touchent merveilleusement.

LA FLÈCHE : Je suis votre valet[2], et tu ne connais pas encore le seigneur Harpagon. Le seigneur Harpagon est de tous les humains l'humain le moins humain, le mortel de tous les mortels le plus dur et le plus serré. Il n'est point de service qui pousse sa reconnaissance jusqu'à lui faire ouvrir les mains. De la louange, de l'estime, de la bienveillance en paroles et de l'amitié tant qu'il vous plaira ; mais de l'argent, point d'affaires[3]. Il n'est rien de plus sec et de plus aride que ses bonnes grâces et ses caresses[4] ; et *donner* est un mot pour qui il a tant d'aversion, qu'il

---

1. Habileté, moyen détourné. Un chevalier d'industrie est un homme qui vit d'expédients.
2. Utilisation plaisante d'une formule qui, renvoyant à un usage en cours entre gens du monde, était souvent employée de manière ironique et dissimulait un véritable désaccord.
3. Rien à faire.
4. Marques d'amitié.

ne dit jamais: *Je vous donne*, mais: *Je vous prête le bon-jour*.

FROSINE: Mon Dieu! je sais l'art de traire[1] les hommes; j'ai le secret de m'ouvrir leur tendresse, de chatouiller leurs cœurs, de trouver les endroits par où ils sont sensibles.

LA FLÈCHE: Bagatelles ici. Je te défie d'attendrir, du côté de l'argent, l'homme dont il est question. Il est Turc là-dessus, mais d'une turquerie à désespérer tout le monde; et l'on pourrait crever, qu'il n'en branlerait pas. En un mot, il aime l'argent, plus que réputation, qu'honneur et que vertu; et la vue d'un demandeur lui donne des convulsions. C'est le frapper par son endroit mortel, c'est lui percer le cœur, c'est lui arracher les entrailles; et si... Mais il revient; je me retire.

Scène 5

HARPAGON, FROSINE

HARPAGON: Tout va comme il faut. Hé bien! qu'est-ce, Frosine?

FROSINE: Ah, mon Dieu! que vous vous portez bien! et que vous avez là un vrai visage de santé!

HARPAGON: Qui, moi?

FROSINE: Jamais je ne vous vis un teint si frais et si gaillard[2].

_____

1. L'homme est dès lors considéré comme une vache à lait.
2. En bonne santé.

HARPAGON : Tout de bon ?

FROSINE : Comment ? vous n'avez de votre vie été si jeune que vous êtes ; et je vois des gens de vingt-cinq ans qui sont plus vieux que vous.

HARPAGON : Cependant, Frosine, j'en ai soixante bien comptés.

FROSINE : Hé bien ! qu'est-ce que cela, soixante ans ? Voilà bien de quoi[1] ! C'est la fleur de l'âge cela, et vous entrez maintenant dans la belle saison de l'homme.

HARPAGON : Il est vrai ; mais vingt années de moins pourtant ne me feraient point de mal, que je crois[2].

FROSINE : Vous moquez-vous ? Vous n'avez pas besoin de cela, et vous êtes d'une pâte à vivre jusques à cent ans.

HARPAGON : Tu le crois ?

FROSINE : Assurément. Vous en avez toutes les marques. Tenez-vous un peu. Ô que voilà bien là, entre vos deux yeux, un signe de longue vie !

HARPAGON : Tu te connais à cela[3] ?

FROSINE : Sans doute. Montrez-moi votre main[4]. Ah, mon Dieu ! quelle ligne de vie !

HARPAGON : Comment ?

FROSINE : Ne voyez-vous pas jusqu'où va cette ligne-là ?

HARPAGON : Hé bien ! qu'est-ce que cela veut dire ?

---

1. Sous-entendu, se plaindre ou faire si grand cas.
2. À ce que je crois.
3. Molière prête à Frosine des compétences en métoposcopie, art de lire l'avenir sur les traits du visage.
4. C'est maintenant la chiromancie, art de lire l'avenir dans les lignes de la main, que pratique Frosine.

FROSINE: Par ma foi! je disais cent ans; mais vous passerez les six-vingts[1].

HARPAGON: Est-il possible?

FROSINE: Il faudra vous assommer, vous dis-je; et vous mettrez en terre et vos enfants, et les enfants de vos enfants.

HARPAGON: Tant mieux. Comment va notre affaire?

FROSINE: Faut-il le demander? et me voit-on mêler de rien dont je ne vienne à bout? J'ai surtout pour les mariages un talent merveilleux; il n'est point de partis au monde que je ne trouve en peu de temps le moyen d'accoupler; et je crois, si je me l'étais mis en tête, que je marierais le Grand Turc avec la République de Venise[2]. Il n'y avait pas sans doute de si grandes difficultés à cette affaire-ci. Comme j'ai commerce chez elles, je les ai à fond l'une et l'autre entretenues de vous, et j'ai dit à la mère le dessein que vous aviez conçu pour Mariane, à la voir passer dans la rue, et prendre l'air à sa fenêtre.

HARPAGON: Qui[3] a fait réponse...

FROSINE: Elle a reçu la proposition avec joie; et quand je lui ai témoigné que vous souhaitiez fort que sa fille assistât ce soir au contrat de mariage qui se

---

1. C'est-à-dire 120 ans.
2. La République de Venise s'était durement affrontée, en Méditerranée, à l'Empire ottoman, ces deux puissances étant irréconciliables. Rabelais, au chapitre 41 du *Tiers Livre*, prêtait aussi à Perrin Dandin le désir, plus ou moins téméraire selon le cas, de réconcilier cette même Venise et Louis XII, l'Empereur et les Suisses, les Anglais et les Écossais, le Pape et les Ferrarais, le Turc et le Sophi, les Tartares et les Moscovites.
3. Se rapporte à la mère de Mariane.

doit faire[1] de la vôtre, elle y a consenti sans peine, et me l'a confiée pour cela.

HARPAGON: C'est que je suis obligé, Frosine, de donner à souper au seigneur Anselme; et je serais bien aise qu'elle soit du régale[2].

FROSINE: Vous avez raison. Elle doit après dîner rendre visite à votre fille, d'où elle fait son compte d'aller faire un tour à la foire[3], pour venir ensuite au souper.

HARPAGON: Hé bien! elles iront ensemble dans mon carrosse, que je leur prêterai.

FROSINE: Voilà justement son affaire.

HARPAGON: Mais, Frosine, as-tu entretenu la mère touchant le bien qu'elle peut donner à sa fille? Lui as-tu dit qu'il fallait qu'elle s'aidât un peu, qu'elle fît quelque effort, qu'elle se saignât pour une occasion comme celle-ci? Car encore n'épouse-t-on point une fille, sans qu'elle apporte quelque chose.

FROSINE: Comment? c'est une fille qui vous apportera douze mille livres de rente.

HARPAGON: Douze mille livres de rente[4]!

FROSINE: Oui. Premièrement, elle est nourrie et élevée dans une grande épargne de bouche[5]; c'est

---

1. Doit se faire.
2. Régal, c'est-à-dire divertissement, fête, festin.
3. Il peut s'agir soit de la foire Saint-Germain, qui se déroulait du 3 février au dimanche des Rameaux, soit de la foire Saint-Laurent, qui se tenait du 28 juin au 30 septembre. On peut penser que, puisque *L'Avare* a été joué pour la première fois le 9 septembre, c'est de celle-ci qu'il s'agit.
4. Soit 30 500 euros environ.
5. Nourriture.

une fille accoutumée à vivre de salade, de lait, de fromage et de pommes, et à laquelle, par conséquent, il ne faudra ni table bien servie, ni consommés exquis, ni orges mondés[1] perpétuels, ni les autres délicatesses qu'il faudrait pour une autre femme; et cela ne va pas à si peu de chose, qu'il ne monte bien, tous les ans, à trois mille francs pour le moins. Outre cela, elle n'est curieuse que d'une propreté[2] fort simple, et n'aime point les superbes habits, ni les riches bijoux, ni les meubles somptueux, où donnent ses pareilles avec tant de chaleur; et cet article-là vaut plus de quatre mille livres par an. De plus, elle a une aversion horrible pour le jeu, ce qui n'est pas commun aux femmes d'aujourd'hui; et j'en sais une de nos quartiers qui a perdu, à trente-et-quarante[3], vingt mille francs cette année. Mais n'en prenons rien que le quart. Cinq mille francs au jeu par an, et quatre mille francs en habits et bijoux, cela fait neuf mille livres; et mille écus que nous mettons pour la nourriture, ne voilà-t-il pas par année vos douze mille francs bien comptés?

HARPAGON: Oui, cela n'est pas mal; mais ce compte-là n'est rien de réel.

FROSINE: Pardonnez-moi. N'est-ce pas quelque chose de réel, que de vous apporter en mariage une grande sobriété, l'héritage d'un grand amour de simplicité

---

1. Avec des grains d'orge débarrassés de leur peau on fabriquait une potion qui était censée donner un teint clair aux femmes.

2. Élégance.

3. Jeu de cartes où celui qui est le plus proche de 30 gagne, tandis que se trouver à 31 permet de gagner double et se trouver à 41 fait perdre double.

de parure[1], et l'acquisition d'un grand fonds de haine pour le jeu ?

HARPAGON : C'est une raillerie que de vouloir me constituer son dot[2] de toutes les dépenses qu'elle ne fera point. Je n'irai pas donner quittance de ce que je ne reçois pas ; et il faut bien que je touche quelque chose.

FROSINE : Mon Dieu ! vous toucherez assez ; et elles m'ont parlé d'un certain pays où elles ont du bien dont vous serez le maître.

HARPAGON : Il faudra voir cela. Mais, Frosine, il y a encore une chose qui m'inquiète. La fille est jeune, comme tu vois ; et les jeunes gens d'ordinaire n'aiment que leurs semblables, ne cherchent que leur compagnie. J'ai peur qu'un homme de mon âge ne soit pas de son goût ; et que cela ne vienne à produire chez moi certains petits désordres qui ne m'accommoderaient pas.

FROSINE : Ah ! que vous la connaissez mal ! C'est encore une particularité que j'avais à vous dire. Elle a une aversion épouvantable pour tous les jeunes gens, et n'a de l'amour que pour les vieillards.

HARPAGON : Elle ?

FROSINE : Oui, elle. Je voudrais que vous l'eussiez entendue parler là-dessus. Elle ne peut souffrir du tout la vue d'un jeune homme ; mais elle n'est point plus ravie, dit-elle, que lorsqu'elle peut voir un beau vieillard avec une barbe majestueuse. Les plus vieux sont pour elle les plus charmants, et je vous avertis

---

1. Un amour héréditaire pour la simplicité de la parure.
2. Le mot est alors du masculin.

de n'aller pas vous faire plus jeune que vous êtes. Elle veut tout au moins qu'on soit sexagénaire; et il n'y a pas quatre mois encore, qu'étant prête d'être mariée, elle rompit tout net le mariage, sur ce que son amant fit voir qu'il n'avait que cinquante-six ans, et qu'il ne prit point de lunettes pour signer le contrat.

HARPAGON: Sur cela seulement?

FROSINE: Oui. Elle dit que ce n'est pas contentement pour elle que cinquante-six ans; et surtout, elle est pour les nez qui portent des lunettes.

HARPAGON: Certes, tu me dis là une chose toute nouvelle.

FROSINE: Cela va plus loin qu'on ne vous peut dire. On lui voit dans sa chambre quelques tableaux et quelques estampes; mais que pensez-vous que ce soit? Des Adonis? des Céphales? des Pâris? et des Apollons[1]? Non: de beaux portraits de Saturne, du roi Priam, du vieux Nestor, et du bon père Anchise sur les épaules de son fils[2].

HARPAGON: Cela est admirable! Voilà ce que je n'aurais jamais pensé; et je suis bien aise d'apprendre qu'elle est de cette humeur. En effet, si j'avais été femme, je n'aurais point aimé les jeunes hommes.

FROSINE: Je le crois bien. Voilà de belles drogues[3]

---

1. Adonis est l'amant de Vénus, Céphale fut aimé de l'Aurore, Pâris est le séducteur d'Hélène, Apollon est le symbole de la beauté.
2. La vieillesse est représentée par des pères (Saturne qui est celui de Jupiter, Priam qui est celui d'Hector, Anchise qui est celui d'Énée) et par le vénérable Nestor, le roi de Pylos, modèle de sagesse.
3. Au xviie siècle le mot peut s'employer pour désigner des choses sans valeur.

que des jeunes gens, pour les aimer ! Ce sont de beaux morveux, de beaux godelureaux[1], pour donner envie de leur peau ; et je voudrais bien savoir quel ragoût[2] il y a à eux.

HARPAGON : Pour moi, je n'y en comprends point[3] ; et je ne sais pas comment il y a des femmes qui les aiment tant.

FROSINE : Il faut être folle fieffée[4]. Trouver la jeunesse aimable ! est-ce avoir le sens commun ? Sont-ce des hommes que de jeunes blondins[5] ? et peut-on s'attacher à ces animaux-là ?

HARPAGON : C'est ce que je dis tous les jours ; avec leur ton de poule laitée[6], et leurs trois petits brins de barbe relevés en barbe de chat[7], leurs perruques d'étoupes, leurs hauts-de-chausses tout tombants, et leurs estomacs débraillés[8].

FROSINE : Eh ! cela est bien bâti, auprès d'une personne comme vous. Voilà un homme cela. Il y a là de quoi satisfaire à la vue ; et c'est ainsi qu'il faut être fait, et vêtu, pour donner de l'amour.

HARPAGON : Tu me trouves bien ?

---

1. Jeune étourdi qui fait le beau devant les femmes et se flatte de les séduire.
2. Ce qui redonne du goût.
3. Cette accumulation de pronoms personnels serait aujourd'hui incorrecte. *Y* : là, *en* : sur ce point.
4. Au figuré et ironiquement : qui possède, comme un fief, un défaut.
5. Jeunes galants à perruque blonde.
6. Cf. n. 3 page 28.
7. Allusion aux moustaches, fines et relevées, qui sont alors à la mode.
8. Le justaucorps, sorte de pourpoint trop court, laissait passer la chemise bouffante.

FROSINE: Comment? vous êtes à ravir, et votre figure est à peindre. Tournez-vous un peu, s'il vous plaît. Il ne se peut pas mieux. Que je vous voie marcher. Voilà un corps taillé, libre, et dégagé comme il faut, et qui ne marque aucune incommodité.

HARPAGON: Je n'en ai pas de grandes, Dieu merci. Il n'y a que ma fluxion[1], qui me prend de temps en temps.

FROSINE: Cela n'est rien. Votre fluxion ne vous sied point mal, et vous avez grâce à tousser.

HARPAGON: Dis-moi un peu: Mariane ne m'a-t-elle point encore vu? N'a-t-elle point pris garde à moi en passant?

FROSINE: Non; mais nous nous sommes fort entretenues de vous. Je lui ai fait un portrait de votre personne; et je n'ai pas manqué de lui vanter votre mérite, et l'avantage que ce lui serait d'avoir un mari comme vous.

HARPAGON: Tu as bien fait, et je t'en remercie.

FROSINE: J'aurais, Monsieur, une petite prière à vous faire. (*Il prend un air sévère.*) J'ai un procès que je suis sur le point de perdre, faute d'un peu d'argent; et vous pourriez facilement me procurer le gain de ce procès, si vous aviez quelque bonté pour moi. (*Il reprend un air gai.*) Vous ne sauriez croire le plaisir qu'elle aura de vous voir. Ah! que vous lui plairez! et que votre fraise[2]

---

1. Molière, en évoquant sa fluxion, intègre au rôle d'Harpagon la toux qui pouvait le saisir en pleine représentation, de la même manière qu'à la scène 3 de l'acte I il avait intégré au rôle de La Flèche le fait que Louis Béjart était boiteux (cf. n. 1 page 21).

2. La fraise, collerette empesée, était à la mode un demi-siècle plus tôt.

à l'antique fera sur son esprit un effet admirable ! Mais surtout elle sera charmée de votre haut-de-chausses, attaché au pourpoint avec des aiguillettes[1] : c'est pour la rendre folle de vous ; et un amant aiguilleté sera pour elle un ragoût merveilleux.

HARPAGON : Certes, tu me ravis de me dire cela.

FROSINE : *(Il reprend son visage sévère.)* En vérité, Monsieur, ce procès m'est d'une conséquence tout à fait grande. Je suis ruinée, si je le perds ; et quelque petite assistance me rétablirait mes affaires. *(Il reprend un air gai.)* Je voudrais que vous eussiez vu le ravissement où elle était à m'entendre parler de vous. La joie éclatait dans ses yeux, au récit de vos qualités ; et je l'ai mise enfin dans une impatience extrême de voir ce mariage entièrement conclu.

HARPAGON : Tu m'as fait grand plaisir, Frosine ; et je t'en ai, je te l'avoue, toutes les obligations du monde.

FROSINE : *(Il reprend son air sérieux.)* Je vous prie, Monsieur, de me donner le petit secours que je vous demande. Cela me remettra sur pied, et je vous en serai éternellement obligée.

HARPAGON : Adieu. Je vais achever mes dépêches[2].

FROSINE : Je vous assure, Monsieur, que vous ne sauriez jamais me soulager dans un plus grand besoin.

HARPAGON : Je mettrai ordre que mon carrosse soit tout prêt pour vous mener à la foire.

FROSINE : Je ne vous importunerais pas, si je ne m'y voyais forcée par la nécessité.

---

1. Cf. n. 1 page 25. Les rubans les ont alors remplacées.
2. Il s'agit des lettres d'affaires que rédige et envoie cet usurier.

HARPAGON : Et j'aurai soin qu'on soupe de bonne heure, pour ne vous point faire[1] malades.

FROSINE : Ne me refusez pas la grâce dont je vous sollicite. Vous ne sauriez croire, Monsieur, le plaisir que...

HARPAGON : Je m'en vais. Voilà qu'on m'appelle. Jusqu'à tantôt.

FROSINE : Que la fièvre te serre[2], chien de vilain[3] à tous les diables ! Le ladre[4] a été ferme à toutes mes attaques ; mais il ne me faut pas pourtant quitter la négociation ; et j'ai l'autre côté[5], en tout cas, d'où je suis assurée de tirer bonne récompense.

---

1. Rendre.
2. T'étrangle.
3. Insulte évoquant la grossièreté du paysan.
4. Personne très avare.
5. Mariane et sa mère.

Acte III

Scène I

HARPAGON, CLÉANTE,
ÉLISE, VALÈRE,
DAME CLAUDE,
MAÎTRE JACQUES,
BRINDAVOINE,
LA MERLUCHE

HARPAGON : Allons, venez çà tous, que je vous distribue mes ordres pour tantôt et règle à chacun son emploi. Approchez, dame Claude. Commençons par vous. *(Elle tient un balai.)* Bon, vous voilà les armes à la main. Je vous commets[1] au soin de nettoyer partout ; et surtout prenez garde de ne point frotter les meubles trop fort, de peur de les user. Outre cela, je vous constitue[2], pendant le souper, au gouvernement des bouteilles ; et s'il s'en écarte quelqu'une et qu'il se

---

1. Je vous prépose.
2. Je vous établis.

casse quelque chose, je m'en prendrai à vous, et le rabattrai sur vos gages.

MAÎTRE JACQUES : Châtiment politique[1].

HARPAGON : Allez. Vous, Brindavoine, et vous, La Merluche, je vous établis dans la charge de rincer les verres, et de donner à boire, mais seulement lorsque l'on aura soif, et non pas selon la coutume de certains impertinents de laquais, qui viennent provoquer les gens, et les faire aviser de boire lorsqu'on n'y songe pas. Attendez qu'on vous en demande plus d'une fois, et vous ressouvenez de porter toujours beaucoup d'eau.

MAÎTRE JACQUES : Oui : le vin pur monte à la tête.

LA MERLUCHE : Quitterons-nous nos siquenilles[2], Monsieur ?

HARPAGON : Oui, quand vous verrez venir les personnes ; et gardez bien de gâter vos habits.

BRINDAVOINE : Vous savez bien, Monsieur, qu'un des devants de mon pourpoint est couvert d'une grande tache de l'huile de la lampe.

LA MERLUCHE : Et moi, Monsieur, que j'ai mon haut-de-chausses tout troué par derrière, et qu'on me voit, révérence parler…[3]

HARPAGON : Paix. Rangez cela adroitement du côté de la muraille, et présentez toujours le devant au monde. (*Harpagon met son chapeau au-devant de son*

---

1. Dicté par l'intérêt.
2. Forme populaire de souquenilles, vêtements de toile grossière ou protège-vêtements que l'on peut utiliser comme habit en cas de nécessité.
3. À vous parler avec révérence, sans vous offenser.

pourpoint, pour montrer à Brindavoine comment il doit faire pour cacher la tache d'huile.) Et vous, tenez toujours votre chapeau ainsi, lorsque vous servirez. Pour vous, ma fille, vous aurez l'œil sur ce que l'on desservira, et prendrez garde qu'il ne s'en fasse aucun dégât. Cela sied bien aux filles. Mais cependant préparez-vous à bien recevoir ma maîtresse[1], qui vous doit venir visiter et vous mener avec elle à la foire. Entendez-vous ce que je vous dis ?

ÉLISE : Oui, mon père.

HARPAGON : Et vous, mon fils le damoiseau[2], à qui j'ai la bonté de pardonner l'histoire de tantôt, ne vous allez pas aviser non plus de lui faire mauvais visage.

CLÉANTE : Moi, mon père, mauvais visage ? Et par quelle raison ?

HARPAGON : Mon Dieu ! nous savons le train[3] des enfants dont les pères se remarient, et de quel œil ils ont coutume de regarder ce qu'on appelle belle-mère. Mais si vous souhaitez que je perde le souvenir de votre dernière fredaine, je vous recommande surtout de régaler[4] d'un bon visage cette personne-là, et de lui faire enfin tout le meilleur accueil qu'il vous sera possible.

CLÉANTE : À vous dire le vrai, mon père, je ne puis pas vous promettre d'être bien aise qu'elle devienne

---

1. Personne qui est aimée et qui aime en retour, le plus souvent synonyme de fiancée.
2. Jeune homme mondain. Au Moyen Âge ce diminutif de dame (seigneur) désignait celui qui n'était pas encore chevalier.
3. Conduite, attitude.
4. Bien recevoir quelqu'un, lui faire un régal (cf. n. 2 page 51).

ma belle-mère : je mentirais, si je vous le disais ; mais pour ce qui est de la bien recevoir, et de lui faire bon visage, je vous promets de vous obéir ponctuellement sur ce chapitre.

HARPAGON : Prenez-y garde au moins.

CLÉANTE : Vous verrez que vous n'aurez pas sujet de vous en plaindre.

HARPAGON : Vous ferez sagement. Valère, aide-moi à ceci. Ho çà, maître Jacques, approchez-vous, je vous ai gardé pour le dernier.

MAÎTRE JACQUES : Est-ce à votre cocher, Monsieur, ou bien à votre cuisinier, que vous voulez parler ? car je suis l'un et l'autre.

HARPAGON : C'est à tous les deux.

MAÎTRE JACQUES : Mais à qui des deux le premier ?

HARPAGON : Au cuisinier.

MAÎTRE JACQUES : Attendez donc, s'il vous plaît.

(Il ôte sa casaque de cocher, et paraît vêtu en cuisinier.)

HARPAGON : Quelle diantre de cérémonie est-ce là ?

MAÎTRE JACQUES : Vous n'avez qu'à parler.

HARPAGON : Je me suis engagé, maître Jacques, à donner ce soir à souper.

MAÎTRE JACQUES : Grande merveille !

HARPAGON : Dis-moi un peu, nous feras-tu bonne chère ?

MAÎTRE JACQUES : Oui, si vous me donnez bien de l'argent.

HARPAGON : Que diable, toujours de l'argent ! Il semble qu'ils n'aient autre chose à dire : « De l'argent, de l'argent, de l'argent.» Ah! ils n'ont que ce mot à la bouche: «De l'argent.» Toujours parler d'argent. Voilà leur épée de chevet[1], de l'argent.

VALÈRE: Je n'ai jamais vu de réponse plus impertinente que celle-là. Voilà une belle merveille que de faire bonne chère avec bien de l'argent: c'est une chose la plus aisée du monde, et il n'y a si pauvre esprit qui n'en fît bien autant; mais pour agir en habile homme, il faut parler de faire bonne chère avec peu d'argent.

MAÎTRE JACQUES: Bonne chère avec peu d'argent!

VALÈRE: Oui.

MAÎTRE JACQUES: Par ma foi, Monsieur l'intendant, vous nous obligerez de nous faire voir ce secret, et de prendre mon office de cuisinier: aussi bien vous mêlez-vous céans d'être le factoton[2].

HARPAGON: Taisez-vous. Qu'est-ce qu'il nous faudra?

MAÎTRE JACQUES: Voilà Monsieur votre intendant, qui vous fera bonne chère pour peu d'argent.

HARPAGON: Haye! je veux que tu me répondes.

MAÎTRE JACQUES: Combien serez-vous de gens à table?

HARPAGON: Nous serons huit ou dix; mais il ne faut prendre que huit; quand il y a à manger pour huit, il y en a bien pour dix.

VALÈRE: Cela s'entend.

---

1. Arme que l'on gardait la nuit auprès de soi en cas d'alerte; de là objet familier que l'on ne quitte pas et même manie.
2. Forme francisée du latin *factotum*, homme qui fait tout.

MAÎTRE JACQUES : Hé bien ! il faudra quatre grands potages [1], et cinq assiettes [2]. Potages… Entrées [3]…

HARPAGON : Que diable ! voilà pour traiter toute une ville entière.

MAÎTRE JACQUES : Rôt… [4]

HARPAGON, *en lui mettant la main sur la bouche* : Ah ! traître, tu manges tout mon bien.

MAÎTRE JACQUES : Entremets… [5]

HARPAGON : Encore ?

VALÈRE : Est-ce que vous avez envie de faire crever tout le monde ? et Monsieur a-t-il invité des gens pour les assassiner à force de mangeaille ? Allez-vous-en lire un peu les préceptes de la santé, et demander aux médecins s'il y a rien de plus préjudiciable à l'homme que de manger avec excès.

HARPAGON : Il a raison.

VALÈRE : Apprenez, maître Jacques, vous et vos pareils, que c'est un coupe-gorge qu'une table remplie de trop de viandes [6] ; que pour se bien montrer

---

1. Ce ne sont pas là de simples soupes ; ils comportaient, outre des légumes, des volailles entières. Dans l'édition de 1682, il est précisé «bisque, potage de perdrix aux choux verts, potage de santé, potage de canards aux navets».

2. Ce sont là les entrées.

3. Dans l'édition de 1682, il est précisé «fricassée de poulets, tourte de pigeonneaux, ris de veau, boudin blanc et morilles».

4. On lit, dans l'édition de 1682 : «Rôt, dans un grandissime bassin en pyramide, une grande longe de veau de rivière, trois faisans, trois poulardes grasses, douze pigeons de volière, douze poulets de grain, six lapereaux de garenne, douze perdreaux, deux douzaines de cailles, trois douzaines d'ortolans.»

5. Plats de ragoût (plats qui doivent stimuler l'appétit, cf. n. 2 page 55) qu'on sert entre les services, notamment entre le rôt et les fruits.

6. Du latin *vivenda* (de *vivere*, vivre), ce qui sert à la vie, donc tous aliments.

ami de ceux que l'on invite, il faut que la frugalité règne dans les repas qu'on donne ; et que, suivant le dire d'un ancien, *il faut manger pour vivre, et non pas vivre pour manger*[1].

HARPAGON : Ah ! que cela est bien dit ! Approche, que je t'embrasse pour ce mot. Voilà la plus belle sentence que j'aie entendue de ma vie. *Il faut vivre pour manger, et non pas manger pour vi*[2]... Non, ce n'est pas cela. Comment est-ce que tu dis ?

VALÈRE : Qu'*il faut manger pour vivre, et non pas vivre pour manger.*

HARPAGON : Entends-tu ? Qui est le grand homme qui a dit cela ?

VALÈRE : Je ne me souviens pas maintenant de son nom.

HARPAGON : Souviens-toi de m'écrire ces mots : je les veux faire graver en lettres d'or sur la cheminée de ma salle.

VALÈRE : Je n'y manquerai pas. Et pour votre souper, vous n'avez qu'à me laisser faire : je réglerai tout cela comme il faut.

HARPAGON : Fais donc.

MAÎTRE JACQUES : Tant mieux : j'en aurai moins de peine.

HARPAGON : Il faudra de ces choses dont on ne mange guère, et qui rassasient d'abord : quelque bon

---

1. Précepte que Plutarque attribue à Socrate dans *Comment il faut que les jeunes gens lisent les poètes.*
2. Molière se souvient probablement du chapitre 15 du *Tiers Livre* de Rabelais, décidément très présent à son esprit, où frère Jean des Entommeures dit des moines : « ils ne mangent mie pour vivre, ils vivent pour manger et n'ont que leur vie en ce monde ».

haricot[1] bien gras, avec quelque pâté en pot[2] bien garni de marrons.

VALÈRE : Reposez-vous sur moi.

HARPAGON : Maintenant, maître Jacques, il faut nettoyer mon carrosse.

MAÎTRE JACQUES : Attendez. Ceci s'adresse au cocher. *(Il remet sa casaque.)* Vous dites…

HARPAGON : Qu'il faut nettoyer mon carrosse, et tenir mes chevaux tous prêts pour conduire à la foire…

MAÎTRE JACQUES : Vos chevaux, Monsieur ? Ma foi, ils ne sont point du tout en état de marcher. Je ne vous dirai point qu'ils sont sur la litière, les pauvres bêtes n'en ont point, et ce serait fort mal parler ; mais vous leur faites observer des jeûnes si austères, que ce ne sont plus rien que des idées ou des fantômes, des façons[3] de chevaux.

HARPAGON : Les voilà bien malades : ils ne font rien.

MAÎTRE JACQUES : Et pour ne faire rien, Monsieur, est-ce qu'il ne faut rien manger ? Il leur vaudrait bien mieux, les pauvres animaux, de travailler beaucoup, de manger de même. Cela me fend le cœur, de les voir ainsi exténués ; car enfin j'ai une tendresse[4] pour mes chevaux, qu'il me semble que c'est moi-même quand je les vois pâtir ; je m'ôte tous les jours pour

---

1. Ragoût fait avec des morceaux de mouton ou de veau accompagnés de pommes de terre, de navets, de marrons. Autrement dit, haricot est un terme de boucherie et ne désigne pas le légume.
2. Du bœuf dans un pot qui tient lieu de croûte.
3. Apparences.
4. J'ai une telle tendresse.

eux les choses de la bouche ; et c'est être, Monsieur, d'un naturel trop dur, que de n'avoir nulle pitié de son prochain.

HARPAGON : Le travail ne sera pas grand, d'aller jusqu'à la foire.

MAÎTRE JACQUES : Non, Monsieur, je n'ai pas le courage de les mener, et je ferais conscience[1] de leur donner des coups de fouet, en l'état où ils sont. Comment voudriez-vous qu'ils traînassent un carrosse, qu'ils ne peuvent pas[2] se traîner eux-mêmes ?

VALÈRE : Monsieur, j'obligerai[3] le voisin le Picard à se charger de les conduire : aussi bien nous fera-t-il ici besoin pour apprêter le souper.

MAÎTRE JACQUES : Soit : j'aime mieux encore qu'ils meurent sous la main d'un autre que sous la mienne.

VALÈRE : Maître Jacques fait bien le raisonnable.

MAÎTRE JACQUES : Monsieur l'intendant fait bien le nécessaire[4].

HARPAGON : Paix !

MAÎTRE JACQUES : Monsieur, je ne saurais souffrir les flatteurs ; et je vois que ce qu'il en fait, que ses contrôles perpétuels sur le pain et le vin, le bois, le sel, et la chandelle, ne sont rien que pour vous gratter[5] et vous faire sa cour. J'enrage de cela, et je suis fâché tous les jours d'entendre ce qu'on dit de vous ; car enfin je me sens pour vous de la tendresse, en

---

1. J'aurais scrupule.
2. Alors qu'ils ne peuvent pas.
3. J'engagerai.
4. Celui qui tranche, qui décide parce qu'il s'est rendu indispensable.
5. Flatter.

dépit que j'en aie ; et après mes chevaux, vous êtes la personne que j'aime le plus.

HARPAGON : Pourrais-je savoir de vous, maître Jacques, ce que l'on dit de moi ?

MAÎTRE JACQUES : Oui, Monsieur, si j'étais assuré que cela ne vous fâchât point.

HARPAGON : Non, en aucune façon.

MAÎTRE JACQUES : Pardonnez-moi : je sais fort bien que je vous mettrais en colère.

HARPAGON : Point du tout : au contraire, c'est me faire plaisir, et je suis bien aise d'apprendre comme on parle de moi.

MAÎTRE JACQUES : Monsieur, puisque vous le voulez, je vous dirai franchement qu'on se moque partout de vous ; qu'on nous jette de tous côtés cent brocards[1] à votre sujet ; et que l'on n'est point plus ravi que de vous tenir au cul et aux chausses, et de faire sans cesse des contes de votre lésine[2]. L'un dit que vous faites imprimer des almanachs particuliers, où vous faites doubler les quatre-temps et les vigiles[3], afin de profiter des jeûnes où vous obligez votre monde. L'autre, que vous avez toujours une querelle toute prête à faire à vos valets dans le temps des étrennes, ou de leur sortie d'avec vous, pour vous trouver une raison de ne leur donner rien. Celui-là conte qu'une fois vous fîtes assigner le chat d'un de vos voisins, pour vous avoir mangé un reste d'un

---

1. Traits satiriques, moqueries.
2. Avarice extrême.
3. Selon la liturgie catholique, chacune des quatre saisons débute par une période de jeûne. La vigile, veille d'une fête religieuse importante, impose aussi le jeûne.

gigot de mouton. Celui-ci, que l'on vous surprit une nuit, en venant dérober vous-même l'avoine de vos chevaux ; et que votre cocher, qui était celui d'avant moi, vous donna dans l'obscurité je ne sais combien de coups de bâton, dont vous ne voulûtes rien dire. Enfin voulez-vous que je vous dise ? On ne saurait aller nulle part où l'on ne vous entende accommoder de toutes pièces ; vous êtes la fable et la risée de tout le monde ; et jamais on ne parle de vous, que sous les noms d'avare, de ladre, de vilain [1] et de fesse-mathieu [2].

HARPAGON, *en le battant* : Vous êtes un sot, un maraud, un coquin, et un impudent.

MAÎTRE JACQUES : Hé bien ! ne l'avais-je pas deviné ? Vous ne m'avez pas voulu croire : je vous l'avais bien dit que je vous fâcherais de vous dire la vérité.

HARPAGON : Apprenez à parler.

Scène 2

MAÎTRE JACQUES, VALÈRE

VALÈRE : À ce que je puis voir, maître Jacques, on paye mal votre franchise.

MAÎTRE JACQUES : Morbleu ! Monsieur le nouveau venu, qui faites l'homme d'importance, ce n'est pas votre affaire. Riez de vos coups de bâton quand on vous en donnera, et ne venez point rire des miens.

---

1. Grossier, cf. n. 3 page 58.
2. Cf. n. 3 page 36.

VALÈRE: Ah! Monsieur maître Jacques, ne vous fâchez pas, je vous prie.

MAÎTRE JACQUES: Il file doux. Je veux faire le brave et s'il est assez sot pour me craindre, le frotter quelque peu. Savez-vous bien, Monsieur le rieur, que je ne ris pas moi? et que si vous m'échauffez la tête, je vous ferai rire d'une autre sorte?

> (Maître Jacques pousse Valère jusques au bout du théâtre, en le menaçant.)

VALÈRE: Eh! doucement.

MAÎTRE JACQUES: Comment, doucement? il ne me plaît pas, moi.

VALÈRE: De grâce.

MAÎTRE JACQUES: Vous êtes un impertinent[1].

VALÈRE: Monsieur maître Jacques…

MAÎTRE JACQUES: Il n'y a point de Monsieur maître Jacques pour un double[2]. Si je prends un bâton, je vous rosserai d'importance.

VALÈRE: Comment, un bâton?

> (Valère le fait reculer autant qu'il l'a fait.)

MAÎTRE JACQUES: Eh! je ne parle pas de cela.

VALÈRE: Savez-vous bien, Monsieur le fat[3], que je suis homme à vous rosser vous-même?

---

1. Cf. n. 3 page 11.
2. Pièce de monnaie qui valait deux deniers, le denier valant un douzième de sol, lequel valait un vingtième de livre, cf. n. 2 page 25.
3. Sot, imbécile.

MAÎTRE JACQUES : Je n'en doute pas.

VALÈRE : Que vous n'êtes, pour tout potage[1], qu'un faquin[2] de cuisinier ?

MAÎTRE JACQUES : Je le sais bien.

VALÈRE : Et que vous ne me connaissez pas encore.

MAÎTRE JACQUES : Pardonnez-moi.

VALÈRE : Vous me rosserez, dites-vous ?

MAÎTRE JACQUES : Je le disais en raillant.

VALÈRE : Et moi, je ne prends point de goût à votre raillerie. *(Il lui donne des coups de bâton.)* Apprenez que vous êtes un mauvais railleur.

MAÎTRE JACQUES : Peste soit la sincérité ! c'est un mauvais métier. Désormais j'y renonce, et je ne veux plus dire vrai. Passe encore pour mon maître, il a quelque droit de me battre ; mais pour ce Monsieur l'intendant, je m'en vengerai si je puis.

Scène 3

FROSINE, MARIANE,
MAÎTRE JACQUES

FROSINE : Savez-vous, maître Jacques, si votre maître est au logis ?

MAÎTRE JACQUES : Oui vraiment il y est, je ne le sais que trop.

---

1. Pour tout, autrement dit vous n'êtes rien d'autre que.
2. Terme de mépris venant du mot italien *facchino*, qui signifie portefaix.

FROSINE: Dites-lui, je vous prie, que nous sommes ici.

Scène 4

MARIANE, FROSINE

MARIANE: Ah! que je suis, Frosine, dans un étrange état! et s'il faut dire ce que je sens, que j'appréhende cette vue!

FROSINE: Mais pourquoi, et quelle est votre inquiétude?

MARIANE: Hélas! me le demandez-vous? et ne vous figurez-vous point les alarmes d'une personne toute prête à voir le supplice où l'on veut l'attacher?

FROSINE: Je vois bien que, pour mourir agréablement, Harpagon n'est pas le supplice que vous voudriez embrasser; et je connais à votre mine que le jeune blondin[1] dont vous m'avez parlé vous revient un peu dans l'esprit.

MARIANE: Oui, c'est une chose, Frosine, dont je ne veux pas me défendre; et les visites respectueuses qu'il a rendues chez nous ont fait, je vous l'avoue, quelque effet dans mon âme.

FROSINE: Mais avez-vous su quel il est?

MARIANE: Non, je ne sais point quel il est; mais je sais qu'il est fait d'un air à se faire aimer; que si l'on

---

1. Cf. n. 5 page 55.

pouvait mettre les choses à mon choix, je le pren-
drais plutôt qu'un autre ; et qu'il ne contribue pas
peu à me faire trouver un tourment effroyable dans
l'époux qu'on veut me donner.

FROSINE : Mon Dieu ! tous ces blondins[1] sont
agréables, et débitent fort bien leur fait ; mais la plupart sont gueux comme des rats ; et il vaut mieux
pour vous de[2] prendre un vieux mari qui vous donne
beaucoup de bien. Je vous avoue que les sens ne
trouvent pas si bien leur compte du côté que je dis,
et qu'il y a quelques petits dégoûts à essuyer avec
un tel époux ; mais cela n'est pas pour durer, et sa
mort, croyez-moi, vous mettra bientôt en état d'en
prendre un plus aimable, qui réparera toutes choses.

MARIANE : Mon Dieu ! Frosine, c'est une étrange
affaire, lorsque, pour être heureuse, il faut souhaiter
ou attendre le trépas de quelqu'un, et la mort ne suit
pas tous les projets que nous faisons.

FROSINE : Vous moquez-vous ? Vous ne l'épousez
qu'aux conditions de vous laisser veuve bientôt ; et ce
doit être là un des articles du contrat. Il serait bien
impertinent de ne pas mourir dans trois mois. Le
voici en propre personne.

MARIANE : Ah ! Frosine, quelle figure !

---

1. Cf. n. 5 page 55.
2. Au xviie siècle, la préposition *de* s'emploie dans certaines
locutions comparatives. On dirait aujourd'hui : il vaut mieux
pour vous prendre un vieux mari.

Scène 5

HARPAGON, FROSINE,
MARIANE

HARPAGON: Ne vous offensez pas, ma belle, si je viens à vous avec des lunettes. Je sais que vos appas frappent assez les yeux, sont assez visibles d'eux-mêmes, et qu'il n'est pas besoin de lunettes pour les apercevoir; mais enfin c'est avec des lunettes qu'on observe les astres, et je maintiens et garantis que vous êtes un astre, mais un astre le plus bel astre qui soit dans le pays des astres. Frosine, elle ne répond mot, et ne témoigne, ce me semble, aucune joie de me voir.

FROSINE: C'est qu'elle est encore toute surprise; et puis les filles ont toujours honte à témoigner d'abord ce qu'elles ont dans l'âme.

HARPAGON: Tu as raison. Voilà, belle mignonne, ma fille qui vient vous saluer.

Scène 6

ÉLISE, HARPAGON,
MARIANE, FROSINE

MARIANE: Je m'acquitte bien tard, Madame[1], d'une telle visite.

---

1. De même que l'on donnait du *Mademoiselle* aux bourgeoises

ÉLISE : Vous avez fait, Madame, ce que je devais faire, et c'était à moi de vous prévenir[1].

HARPAGON : Vous voyez qu'elle est grande ; mais mauvaise herbe croît toujours.

MARIANE, *bas, à Frosine* : Ô l'homme déplaisant !

HARPAGON : Que dit la belle ?

FROSINE : Qu'elle vous trouve admirable.

HARPAGON : C'est trop d'honneur que vous me faites, adorable mignonne.

MARIANE, *à part* : Quel animal !

HARPAGON : Je vous suis trop obligé de ces sentiments.

MARIANE, *à part* : Je n'y puis plus tenir.

HARPAGON : Voici mon fils aussi qui vous vient faire la révérence.

MARIANE, *à part, à Frosine* : Ah ! Frosine, quelle rencontre ! C'est justement celui dont je t'ai parlé.

FROSINE, *à Mariane* : L'aventure est merveilleuse.

HARPAGON : Je vois que vous vous étonnez de me voir de si grands enfants ; mais je serai bientôt défait et de l'un et de l'autre.

---

mariées, on appelait *Madame* les femmes et les filles de la noblesse ou de la haute bourgeoisie.
  1. Devancer.

Scène 7

CLÉANTE, HARPAGON,
ÉLISE, MARIANE, FROSINE

CLÉANTE: Madame, à vous dire le vrai, c'est ici une aventure où[1] sans doute je ne m'attendais pas ; et mon père ne m'a pas peu surpris lorsqu'il m'a dit tantôt le dessein qu'il avait formé.

MARIANE: Je puis dire la même chose. C'est une rencontre imprévue qui m'a surprise autant que vous ; et je n'étais point préparée à une pareille aventure.

CLÉANTE: Il est vrai que mon père, Madame, ne peut pas faire un plus beau choix, et que ce m'est une sensible joie que l'honneur de vous voir ; mais avec tout cela, je ne vous assurerai point que je me réjouis du dessein où vous pourriez être de devenir ma belle-mère. Le compliment, je vous l'avoue, est trop difficile pour moi ; et c'est un titre, s'il vous plaît, que je ne vous souhaite point. Ce discours paraîtra brutal aux yeux de quelques-uns ; mais je suis assuré que vous serez personne à le prendre comme il faudra ; que c'est un mariage, Madame, où vous vous imaginez bien que je dois avoir de la répugnance ; que vous n'ignorez pas, sachant ce que je suis, comme il choque mes intérêts ; et que vous voulez bien enfin que je vous dise, avec la permission de mon père, que

---

1. À laquelle.

si les choses dépendaient de moi, cet hymen ne se ferait point.

HARPAGON : Voilà un compliment bien impertinent[1] : quelle belle confession à lui faire !

MARIANE : Et moi, pour vous répondre, j'ai à vous dire que les choses sont fort égales ; et que si vous auriez de la répugnance à me voir votre belle-mère, je n'en aurais pas moins sans doute à vous voir mon beau-fils. Ne croyez pas, je vous prie, que ce soit moi qui cherche à vous donner cette inquiétude. Je serais fort fâchée de vous causer du déplaisir ; et si je ne m'y vois forcée par une puissance absolue, je vous donne ma parole que je ne consentirai point au mariage qui vous chagrine.

HARPAGON : Elle a raison : à sot compliment il faut une réponse de même. Je vous demande pardon, ma belle, de l'impertinence de mon fils. C'est un jeune sot, qui ne sait pas encore la conséquence des paroles qu'il dit.

MARIANE : Je vous promets que ce qu'il m'a dit ne m'a point du tout offensée ; au contraire, il m'a fait plaisir de m'expliquer ainsi ses véritables sentiments. J'aime de lui un aveu de la sorte ; et s'il avait parlé d'autre façon, je l'en estimerais bien moins.

HARPAGON : C'est beaucoup de bonté à vous de vouloir ainsi excuser ses fautes. Le temps le rendra plus sage, et vous verrez qu'il changera de sentiments.

CLÉANTE : Non, mon père, je ne suis point capable

---

1. Cf. n. 3 page 11.

d'en changer, et je prie instamment Madame de le croire.

HARPAGON : Mais voyez quelle extravagance ! il continue encore plus fort.

CLÉANTE : Voulez-vous que je trahisse mon cœur ?

HARPAGON : Encore ? Avez-vous envie de changer de discours ?

CLÉANTE : Hé bien ! puisque vous voulez que je parle d'autre façon, souffrez, Madame, que je me mette ici à la place de mon père, et que je vous avoue que je n'ai rien vu dans le monde de si charmant que vous ; que je ne conçois rien d'égal au bonheur de vous plaire, et que le titre de votre époux est une gloire, une félicité que je préférerais aux destinées des plus grands princes de la terre. Oui, Madame, le bonheur de vous posséder est à mes regards la plus belle de toutes les fortunes ; c'est où j'attache toute mon ambition ; il n'y a rien que je ne sois capable de faire pour une conquête si précieuse, et les obstacles les plus puissants...

HARPAGON : Doucement, mon fils, s'il vous plaît.

CLÉANTE : C'est un compliment que je fais pour vous à Madame.

HARPAGON : Mon Dieu ! j'ai une langue pour m'expliquer moi-même, et je n'ai pas besoin d'un procureur[1] comme vous. Allons, donnez des sièges.

FROSINE : Non ; il vaut mieux que de ce pas nous allions à la foire, afin d'en revenir plus tôt, et d'avoir tout le temps ensuite de vous entretenir.

---

1. Terme juridique signifiant celui qui parle à la place de quelqu'un.

HARPAGON : Qu'on mette donc les chevaux au carrosse. Je vous prie de m'excuser, ma belle, si je n'ai pas songé à vous donner un peu de collation[1] avant que de partir.

CLÉANTE : J'y ai pourvu, mon père, et j'ai fait apporter ici quelques bassins d'oranges de la Chine[2], de citrons doux et de confitures[3], que j'ai envoyé quérir[4] de votre part.

HARPAGON, *bas à Valère* : Valère !

VALÈRE, *à Harpagon* : Il a perdu le sens.

CLÉANTE : Est-ce que vous trouvez, mon père, que ce ne soit pas assez ? Madame aura la bonté d'excuser cela, s'il lui plaît.

MARIANE : C'est une chose qui n'était pas nécessaire.

CLÉANTE : Avez-vous jamais vu, Madame, un diamant plus vif que celui que vous voyez que mon père a au doigt ?

MARIANE : Il est vrai qu'il brille beaucoup.

CLÉANTE *(il l'ôte du doigt de son père et le donne à Mariane)* : Il faut que vous le voyiez de près.

MARIANE : Il est fort beau sans doute, et jette quantité de feux.

CLÉANTE *(il se met au-devant de Mariane, qui le veut rendre)* : Nenni, Madame : il est en de trop belles mains. C'est un présent que mon père vous a fait.

HARPAGON : Moi ?

---

1. Goûter.
2. Il s'agit des oranges douces.
3. Pâtes de fruits.
4. Chercher.

CLÉANTE: N'est-il pas vrai, mon père, que vous voulez que Madame le garde pour l'amour de vous?

HARPAGON, *à part, à son fils*: Comment?

CLÉANTE: Belle demande! Il me fait signe de vous le faire accepter.

MARIANE: Je ne veux point...

CLÉANTE: Vous moquez-vous? Il n'a garde de le reprendre.

HARPAGON, *à part*: J'enrage!

MARIANE: Ce serait...

CLÉANTE, *en empêchant toujours Mariane de rendre la bague*: Non, vous dis-je, c'est l'offenser.

MARIANE: De grâce...

CLÉANTE: Point du tout.

HARPAGON, *à part*: Peste soit...

CLÉANTE: Le voilà qui se scandalise de votre refus.

HARPAGON, *bas, à son fils*: Ah, traître!

CLÉANTE: Vous voyez qu'il se désespère.

HARPAGON, *bas, à son fils, en le menaçant*: Bourreau que tu es!

CLÉANTE: Mon père, ce n'est pas ma faute. Je fais ce que je puis pour l'obliger à la garder; mais elle est obstinée.

HARPAGON, *bas, à son fils, avec emportement*: Pendard!

CLÉANTE: Vous êtes cause, Madame, que mon père me querelle.

HARPAGON, *bas, à son fils, avec les mêmes grimaces*: Le coquin!

CLÉANTE: Vous le ferez tomber malade. De grâce, Madame, ne résistez point davantage.

FROSINE: Mon Dieu! que de façons! Gardez la bague, puisque Monsieur le veut.

MARIANE: Pour ne vous point mettre en colère, je la garde maintenant; et je prendrai un autre temps pour vous la rendre.

Scène 8

HARPAGON, MARIANE, FROSINE, CLÉANTE, BRINDAVOINE, ÉLISE

BRINDAVOINE: Monsieur, il y a là un homme qui veut vous parler.

HARPAGON: Dis-lui que je suis empêché[1], et qu'il revienne une autre fois.

BRINDAVOINE: Il dit qu'il vous apporte de l'argent.

HARPAGON: Je vous demande pardon. Je reviens tout à l'heure[2].

---

1. Retenu par quelque affaire.
2. Cf. n. 2 page 16 et n. 1 page 32.

Scène 9

HARPAGON, MARIANE,
CLÉANTE, ÉLISE, FROSINE,
LA MERLUCHE

LA MERLUCHE : *(Il vient en courant et fait tomber Harpagon.)* Monsieur…

HARPAGON : Ah! je suis mort.

CLÉANTE : Qu'est-ce, mon père? vous êtes-vous fait mal?

HARPAGON : Le traître assurément a reçu de l'argent de mes débiteurs, pour me faire rompre le cou.

VALÈRE : Cela ne sera rien.

LA MERLUCHE : Monsieur, je vous demande pardon, je croyais bien faire d'accourir vite.

HARPAGON : Que viens-tu faire ici, bourreau?

LA MERLUCHE : Vous dire que vos deux chevaux sont déferrés.

HARPAGON : Qu'on les mène promptement chez le maréchal.

CLÉANTE : En attendant qu'ils soient ferrés, je vais faire pour vous, mon père, les honneurs de votre logis, et conduire Madame dans le jardin, où je ferai porter la collation.

HARPAGON : Valère, aie un peu l'œil à tout cela; et prends soin, je te prie, de m'en sauver le plus que tu pourras, pour le renvoyer au marchand.

VALÈRE : C'est assez.

HARPAGON : Ô fils impertinent, as-tu envie de me ruiner ?

Acte IV

Scène I

CLÉANTE, MARIANE, ÉLISE, FROSINE

CLÉANTE : Rentrons ici, nous serons beaucoup mieux. Il n'y a plus autour de nous personne de suspect, et nous pouvons parler librement.

ÉLISE : Oui, Madame, mon frère m'a fait confidence de la passion qu'il a pour vous. Je sais les chagrins et les déplaisirs [1] que sont capables de causer de pareilles traverses ; et c'est, je vous assure, avec une tendresse extrême que je m'intéresse à votre aventure.

MARIANE : C'est une douce consolation que de voir dans ses intérêts une personne comme vous ; et je vous conjure, Madame, de me garder toujours cette généreuse amitié, si capable de m'adoucir les cruautés de la fortune.

FROSINE : Vous êtes, par ma foi, de malheureuses

---

1. Cf. n. 1 page 15.

gens l'un et l'autre de ne m'avoir point, avant tout ceci, avertie de votre affaire. Je vous aurais sans doute[1] détourné[2] cette inquiétude, et n'aurais point amené les choses où l'on voit qu'elles sont.

CLÉANTE: Que veux-tu? C'est ma mauvaise destinée qui l'a voulu ainsi. Mais, belle Mariane, quelles résolutions sont les vôtres?

MARIANE: Hélas! suis-je en pouvoir de faire des résolutions? Et dans la dépendance où je me vois, puis-je former que des souhaits?

CLÉANTE: Point d'autre appui pour moi dans votre cœur que de simples souhaits? point de pitié officieuse[3]? point de secourable bonté? point d'affection agissante?

MARIANE: Que saurais-je vous dire? Mettez-vous en ma place, et voyez ce que je puis faire. Avisez, ordonnez vous-même: je m'en remets à vous, et je vous crois trop raisonnable pour vouloir exiger de moi que ce qui peut m'être permis par l'honneur et la bienséance.

CLÉANTE: Hélas! où me réduisez-vous, que de me renvoyer à ce que voudront me permettre les fâcheux sentiments d'un rigoureux honneur et d'une scrupuleuse bienséance.

MARIANE: Mais que voulez-vous que je fasse? Quand je pourrais passer sur quantité d'égards où notre sexe est obligé, j'ai de la considération pour ma mère. Elle m'a toujours élevée avec une tendresse extrême, et

---

1. Cf. n. 2 page 26, assurément.
2. J'aurais détourné de vous cette inquiétude.
3. Complaisante.

je ne saurais me résoudre à lui donner du déplaisir[1]. Faites, agissez auprès d'elle, employez tous vos soins à gagner son esprit : vous pouvez faire et dire tout ce que vous voudrez, je vous en donne la licence ; et s'il ne tient qu'à me déclarer en votre faveur, je veux bien consentir à lui faire un aveu moi-même de tout ce que je sens pour vous.

CLÉANTE : Frosine, ma pauvre Frosine, voudrais-tu nous servir ?

FROSINE : Par ma foi ! faut-il demander ? je le voudrais de tout mon cœur. Vous savez que de mon naturel je suis assez humaine ; le Ciel ne m'a point fait l'âme de bronze, et je n'ai que trop de tendresse à rendre de petits services[2], quand je vois des gens qui s'entr'aiment en tout bien et en tout honneur. Que pourrions-nous faire à ceci ?

CLÉANTE : Songe un peu, je te prie.

MARIANE : Ouvre-nous des lumières[3].

ÉLISE : Trouve quelque invention pour rompre ce que tu as fait.

FROSINE : Ceci est assez difficile. Pour votre mère, elle n'est pas tout à fait déraisonnable, et peut-être pourrait-on la gagner, et la résoudre à transporter au fils le don qu'elle veut faire au père. Mais le mal que j'y trouve, c'est que votre père est votre père.

CLÉANTE : Cela s'entend.

FROSINE : Je veux dire qu'il conservera du dépit, si

---

1. Cf. n. 1 page 15.
2. Je n'ai par tendresse que trop de penchant à rendre de petits services.
3. Au sens figuré, preuves, témoignages.

l'on montre qu'on le refuse; et qu'il ne sera point d'humeur ensuite à donner son consentement à votre mariage. Il faudrait, pour bien faire, que le refus vînt de lui-même, et tâcher par quelque moyen de le dégoûter de votre personne.

CLÉANTE: Tu as raison.

FROSINE: Oui, j'ai raison, je le sais bien. C'est là ce qu'il faudrait; mais le diantre[1] est d'en pouvoir trouver les moyens. Attendez: si nous avions quelque femme un peu sur l'âge, qui fût de mon talent, et jouât assez bien pour contrefaire une dame de qualité, par le moyen d'un train[2] fait à la hâte, et d'un bizarre nom de marquise, ou de vicomtesse, que nous supposerions de la basse Bretagne, j'aurais assez d'adresse pour faire accroire à votre père que ce serait une personne riche, outre ses maisons, de cent mille écus[3] en argent comptant; qu'elle serait éperdument amoureuse de lui, et souhaiterait de se voir sa femme, jusqu'à lui donner tout son bien par contrat de mariage; et je ne doute point qu'il ne prêtât l'oreille à la proposition; car enfin il vous aime fort, je le sais; mais il aime un peu plus l'argent; et quand, ébloui de ce leurre, il aurait une fois consenti à ce qui vous touche, il importerait peu ensuite qu'il se désabusât, en venant à vouloir voir clair aux effets[4] de notre marquise.

CLÉANTE: Tout cela est fort bien pensé.

---

1. Cf. n. 2 page 17.
2. Cf. n. 3 page 61.
3. Soit dans les 914 690 euros.
4. Biens et notamment argent.

FROSINE: Laissez-moi faire. Je viens de me ressouvenir d'une de mes amies, qui sera notre fait.

CLÉANTE: Sois assurée, Frosine, de ma reconnaissance, si tu viens à bout de la chose. Mais, charmante Mariane, commençons, je vous prie, par gagner votre mère : c'est toujours beaucoup faire que de rompre ce mariage. Faites-y de votre part, je vous en conjure, tous les efforts qu'il vous sera possible ; servez-vous de tout le pouvoir que vous donne sur elle cette amitié qu'elle a pour vous ; déployez sans réserve les grâces éloquentes, les charmes tout-puissants que le Ciel a placés dans vos yeux et dans votre bouche ; et n'oubliez rien, s'il vous plaît, de ces tendres paroles, de ces douces prières, et de ces caresses touchantes à qui je suis persuadé qu'on ne saurait rien refuser.

MARIANE: J'y ferai tout ce que je puis, et n'oublierai aucune chose.

Scène 2

HARPAGON, CLÉANTE,
MARIANE, ÉLISE, FROSINE

HARPAGON: Ouais ! mon fils baise la main de sa prétendue belle-mère[1], et sa prétendue belle-mère ne s'en défend pas fort. Y aurait-il quelque mystère là-dessous ?

ÉLISE: Voilà mon père.

---

1. Future belle-mère.

HARPAGON : Le carrosse est tout prêt. Vous pouvez partir quand il vous plaira.

CLÉANTE : Puisque vous n'y allez pas, mon père, je m'en vais les conduire.

HARPAGON : Non, demeurez. Elles iront bien toutes seules ; et j'ai besoin de vous.

Scène 3

HARPAGON, CLÉANTE

HARPAGON : Ô çà, intérêt[1] de belle-mère à part, que te semble à toi de cette personne ?

CLÉANTE : Ce qui m'en semble ?

HARPAGON : Oui, de son air, de sa taille, de sa beauté, de son esprit ?

CLÉANTE : La, la.

HARPAGON : Mais encore ?

CLÉANTE : À vous en parler franchement, je ne l'ai pas trouvée ici ce que je l'avais crue. Son air est de franche coquette ; sa taille est assez gauche, sa beauté très médiocre, et son esprit des plus communs. Ne croyez pas que ce soit, mon père, pour vous en dégoûter ; car belle-mère pour belle-mère, j'aime autant celle-là qu'une autre.

HARPAGON : Tu lui disais tantôt pourtant…

CLÉANTE : Je lui ai dit quelques douceurs en votre nom, mais c'était pour vous plaire.

---

1. Ce qui a rapport à.

HARPAGON: Si bien donc que tu n'aurais pas d'inclination pour elle?

CLÉANTE: Moi? point du tout.

HARPAGON: J'en suis fâché; car cela rompt une pensée qui m'était venue dans l'esprit. J'ai fait, en la voyant ici, réflexion sur mon âge; et j'ai songé qu'on pourra trouver à redire de me voir marier à une si jeune personne. Cette considération m'en faisait quitter le dessein; et comme je l'ai fait demander, et que je suis pour elle engagé de parole, je te l'aurais donnée, sans l'aversion que tu témoignes.

CLÉANTE: Moi?

HARPAGON: À toi.

CLÉANTE: En mariage?

HARPAGON: En mariage.

CLÉANTE: Écoutez: il est vrai qu'elle n'est pas fort à mon goût; mais pour vous faire plaisir, mon père, je me résoudrai à l'épouser, si vous voulez.

HARPAGON: Moi? Je suis plus raisonnable que tu ne penses: je ne veux point forcer ton inclination.

CLÉANTE: Pardonnez-moi, je me ferai cet effort pour l'amour de vous.

HARPAGON: Non, non; un mariage ne saurait être heureux où l'inclination n'est pas.

CLÉANTE: C'est une chose, mon père, qui peut-être viendra ensuite; et l'on dit que l'amour est souvent un fruit du mariage.

HARPAGON: Non: du côté de l'homme, on ne doit point risquer l'affaire, et ce sont des suites fâcheuses, où je n'ai garde de me commettre. Si tu avais senti quelque inclination pour elle, à la bonne heure: je te l'aurais fait épouser, au lieu de moi ; mais cela n'étant pas, je suivrai mon premier dessein, et je l'épouserai moi-même.

CLÉANTE : Hé bien ! mon père, puisque les choses sont ainsi, il faut vous découvrir mon cœur, il faut vous révéler notre secret. La vérité est que je l'aime, depuis un jour que je la vis dans une promenade ; que mon dessein était tantôt de vous la demander pour femme ; et que rien ne m'a retenu que la déclaration de vos sentiments, et la crainte de vous déplaire.

HARPAGON : Lui avez-vous rendu visite ?

CLÉANTE : Oui, mon père.

HARPAGON : Beaucoup de fois ?

CLÉANTE : Assez, pour le temps qu'il y a.

HARPAGON : Vous a-t-on bien reçu ?

CLÉANTE : Fort bien, mais sans savoir qui j'étais ; et c'est ce qui a fait tantôt la surprise de Mariane.

HARPAGON : Lui avez-vous déclaré votre passion, et le dessein où vous étiez de l'épouser ?

CLÉANTE : Sans doute ; et même j'en avais fait à sa mère quelque peu d'ouverture.

HARPAGON : A-t-elle écouté, pour sa fille, votre proposition ?

CLÉANTE : Oui, fort civilement.

HARPAGON : Et la fille correspond-elle[1] fort à votre amour ?

CLÉANTE : Si j'en dois croire les apparences, je me persuade, mon père, qu'elle a quelque bonté pour moi.

---

1. Correspondre signifie aussi être d'intelligence, se répondre réciproquement.

HARPAGON: Je suis bien aise d'avoir appris un tel secret; et voilà justement ce que je demandais. Oh sus! mon fils, savez-vous ce qu'il y a? c'est qu'il faut songer, s'il vous plaît, à vous défaire de votre amour; à cesser toutes vos poursuites auprès d'une personne que je prétends pour moi[1]; et à vous marier dans peu avec celle qu'on vous destine.

CLÉANTE: Oui, mon père, c'est ainsi que vous me jouez! Hé bien! puisque les choses en sont venues là, je vous déclare, moi, que je ne quitterai point la passion que j'ai pour Mariane, qu'il n'y a point d'extrémité où je ne m'abandonne pour vous disputer sa conquête, et que si vous avez pour vous le consentement d'une mère, j'aurai d'autres secours peut-être qui combattront pour moi.

HARPAGON: Comment, pendard? tu as l'audace d'aller sur mes brisées[2]?

CLÉANTE: C'est vous qui allez sur les miennes; et je suis le premier en date.

HARPAGON: Ne suis-je pas ton père? et ne me dois-tu pas respect?

CLÉANTE: Ce ne sont point ici des choses où les enfants soient obligés de déférer aux pères; et l'amour ne connaît personne.

HARPAGON: Je te ferai bien me connaître, avec de bons coups de bâton.

---

1. À laquelle je prétends, que je recherche en mariage.
2. Avant la chasse, on marque, en brisant des branches, les passages que les bêtes ont l'habitude d'emprunter. Chacun va se poster à ses brisées. De là l'expression « courir ou marcher sur les brisées de quelqu'un » qui signifie profiter de la place préparée par quelqu'un d'autre.

CLÉANTE: Toutes vos menaces ne feront rien.

HARPAGON: Tu renonceras à Mariane.

CLÉANTE: Point du tout.

HARPAGON: Donnez-moi un bâton tout à l'heure[1].

Scène 4

MAÎTRE JACQUES,
HARPAGON, CLÉANTE

MAÎTRE JACQUES: Eh, eh, eh, Messieurs, qu'est-ce ci? à quoi songez-vous[2]?

CLÉANTE: Je me moque de cela.

MAÎTRE JACQUES: Ah! Monsieur, doucement.

HARPAGON: Me parler avec cette impudence!

MAÎTRE JACQUES: Ah! Monsieur, de grâce.

CLÉANTE: Je n'en démordrai point.

MAÎTRE JACQUES: Hé quoi? à votre père?

HARPAGON: Laisse-moi faire.

MAÎTRE JACQUES: Hé quoi? à votre fils? Encore passe pour moi.

HARPAGON: Je te veux faire toi-même, maître Jacques, juge de cette affaire, pour montrer comme j'ai raison.

MAÎTRE JACQUES: J'y consens. Éloignez-vous un peu.

HARPAGON: J'aime une fille, que je veux épouser;

---

1. Cf. n. 2 page 16 et n. 1 page 32.
2. Pensez-vous?

et le pendard a l'insolence de l'aimer avec moi, et d'y prétendre malgré mes ordres.

MAÎTRE JACQUES: Ah! il a tort.

HARPAGON: N'est-ce pas une chose épouvantable, qu'un fils qui veut entrer en concurrence avec son père? et ne doit-il pas, par respect, s'abstenir de toucher à mes inclinations?

MAÎTRE JACQUES: Vous avez raison. Laissez-moi lui parler, et demeurez là.

(Il vient trouver Cléante à l'autre bout du théâtre.)

CLÉANTE: Hé bien! oui, puisqu'il veut te choisir pour juge, je n'y recule point[1]; il ne m'importe qui ce soit[2]; et je veux bien aussi me rapporter à toi[3], maître Jacques, de notre différend.

MAÎTRE JACQUES: C'est beaucoup d'honneur que vous me faites.

CLÉANTE: Je suis épris d'une jeune personne qui répond à mes vœux, et reçoit tendrement les offres de ma foi; et mon père s'avise de venir troubler notre amour par la demande qu'il en fait faire.

MAÎTRE JACQUES: Il a tort assurément.

CLÉANTE: N'a-t-il point de honte à son âge, de songer à se marier? lui sied-il bien d'être encore amoureux? et ne devrait-il pas laisser cette occupation aux jeunes gens?

---

1. Je ne refuse pas cela.
2. On attendrait *c'est* plutôt que *ce soit*, encore que le subjonctif puisse s'expliquer par le flou, donc l'incertitude qui caractérise la personne à choisir.
3. M'en rapporter à toi.

MAÎTRE JACQUES : Vous avez raison, il se moque. Laissez-moi lui dire deux mots. *(Il revient à Harpagon.)* Hé bien ! votre fils n'est pas si étrange que vous le dites, et il se met à la raison. Il dit qu'il sait le respect qu'il vous doit, qu'il ne s'est emporté que dans la première chaleur, et qu'il ne fera point refus de se soumettre à ce qu'il vous plaira, pourvu que vous vouliez le traiter mieux que vous ne faites, et lui donner quelque personne en mariage dont il ait lieu d'être content.

HARPAGON : Ah ! dis-lui, maître Jacques, que moyennant cela, il pourra espérer toutes choses de moi ; et que, hors Mariane, je lui laisse la liberté de choisir celle qu'il voudra.

MAÎTRE JACQUES *(Il va au fils.)* : Laissez-moi faire. Hé bien ! votre père n'est pas si déraisonnable que vous le faites ; et il m'a témoigné que ce sont vos emportements qui l'ont mis en colère ; qu'il n'en veut seulement qu'à votre manière d'agir, et qu'il sera fort disposé à vous accorder ce que vous souhaitez, pourvu que vous vouliez vous y prendre par la douceur, et lui rendre les déférences, les respects, et les soumissions qu'un fils doit à son père.

CLÉANTE : Ah ! maître Jacques, tu lui peux assurer que, s'il m'accorde Mariane, il me verra toujours le plus soumis de tous les hommes ; et que jamais je ne ferai aucune chose que par ses volontés.

MAÎTRE JACQUES : Cela est fait. Il consent à ce que vous dites.

HARPAGON : Voilà qui va le mieux du monde.

MAÎTRE JACQUES : Tout est conclu. Il est content de vos promesses.

CLÉANTE: Le Ciel en soit loué!

MAÎTRE JACQUES: Messieurs, vous n'avez qu'à parler ensemble: vous voilà d'accord maintenant; et vous alliez vous quereller, faute de vous entendre.

CLÉANTE: Mon pauvre maître Jacques, je te serai obligé toute ma vie.

MAÎTRE JACQUES: Il n'y a pas de quoi, Monsieur.

HARPAGON: Tu m'as fait plaisir, maître Jacques, et cela mérite une récompense. Va, je m'en souviendrai, je t'assure.

(Il tire son mouchoir de sa poche, ce qui fait croire à maître Jacques qu'il va lui donner quelque chose.)

MAÎTRE JACQUES: Je vous baise les mains.

Scène 5

CLÉANTE, HARPAGON

CLÉANTE: Je vous demande pardon, mon père, de l'emportement que j'ai fait paraître.

HARPAGON: Cela n'est rien.

CLÉANTE: Je vous assure que j'en ai tous les regrets du monde.

HARPAGON: Et moi, j'ai toutes les joies du monde de te voir raisonnable.

CLÉANTE: Quelle bonté à vous d'oublier si vite ma faute!

HARPAGON: On oublie aisément les fautes des enfants, lorsqu'ils rentrent dans leur devoir.

CLÉANTE: Quoi? ne garder aucun ressentiment de toutes mes extravagances?

HARPAGON: C'est une chose où tu m'obliges par la soumission et le respect où tu te ranges.

CLÉANTE: Je vous promets, mon père, que, jusques au tombeau, je conserverai dans mon cœur le souvenir de vos bontés.

HARPAGON: Et moi, je te promets qu'il n'y aura aucune chose que de moi tu n'obtiennes.

CLÉANTE: Ah! mon père, je ne vous demande plus rien; et c'est m'avoir assez donné que de me donner Mariane.

HARPAGON: Comment?

CLÉANTE: Je dis, mon père, que je suis trop content de vous, et que je trouve toutes choses dans la bonté que vous avez de m'accorder Mariane.

HARPAGON: Qui est-ce qui parle de t'accorder Mariane?

CLÉANTE: Vous, mon père.

HARPAGON: Moi!

CLÉANTE: Sans doute.

HARPAGON: Comment? C'est toi qui as promis d'y renoncer.

CLÉANTE: Moi, y renoncer?

HARPAGON: Oui.

CLÉANTE: Point du tout.

HARPAGON: Tu ne t'es pas départi d'y prétendre[1]?

---

1. Tu n'as pas renoncé à y prétendre.

CLÉANTE : Au contraire, j'y suis porté plus que jamais.

HARPAGON : Quoi ? pendard, derechef[1] ?

CLÉANTE : Rien ne me peut changer.

HARPAGON : Laisse-moi faire, traître.

CLÉANTE : Faites tout ce qu'il vous plaira.

HARPAGON : Je te défends de me jamais voir.

CLÉANTE : À la bonne heure.

HARPAGON : Je t'abandonne.

CLÉANTE : Abandonnez.

HARPAGON : Je te renonce[2] pour mon fils.

CLÉANTE : Soit.

HARPAGON : Je te déshérite.

CLÉANTE : Tout ce que vous voudrez.

HARPAGON : Et je te donne ma malédiction.

CLÉANTE : Je n'ai que faire de vos dons.

Scène 6

LA FLÈCHE, CLÉANTE

LA FLÈCHE, *sortant du jardin, avec une cassette* : Ah ! Monsieur, que je vous trouve à propos ! suivez-moi vite.

CLÉANTE : Qu'y a-t-il ?

LA FLÈCHE : Suivez-moi, vous dis-je : nous sommes bien[3].

---

1. En reprenant les choses du chef, c'est-à-dire de la tête, autrement dit du commencement. Terme alors vieilli.
2. Je te renie.
3. Nos affaires vont bien, nous sommes riches.

CLÉANTE: Comment?

LA FLÈCHE: Voici votre affaire.

CLÉANTE: Quoi?

LA FLÈCHE: J'ai guigné[1] ceci tout le jour.

CLÉANTE: Qu'est-ce que c'est?

LA FLÈCHE: Le trésor de votre père, que j'ai attrapé.

CLÉANTE: Comment as-tu fait?

LA FLÈCHE: Vous saurez tout. Sauvons-nous, je l'entends crier.

Scène 7

HARPAGON

*(Il crie au voleur dès le jardin,
et vient sans chapeau.)*

Au voleur! au voleur! à l'assassin! au meurtrier! Justice, juste Ciel! je suis perdu, je suis assassiné, on m'a coupé la gorge, on m'a dérobé mon argent. Qui peut-ce être? Qu'est-il devenu? Où est-il? Où se cache-t-il? Que ferai-je pour le trouver? Où courir? Où ne pas courir? N'est-il point là? N'est-il point ici? Qui est-ce? Arrête. Rends-moi mon argent, coquin… *(Il se prend lui-même le bras.)* Ah! c'est moi. Mon esprit est troublé, et j'ignore où je suis, qui je suis, et ce que je fais. Hélas! mon pauvre argent, mon pauvre argent, mon cher ami! on m'a privé de toi; et puisque tu

_____

1. J'ai guetté du coin de l'œil, lorgné.

m'es enlevé, j'ai perdu mon support[1], ma consolation, ma joie ; tout est fini pour moi, et je n'ai plus
que faire au monde : sans toi, il m'est impossible de
vivre. C'en est fait, je n'en puis plus ; je me meurs, je
suis mort, je suis enterré. N'y a-t-il personne qui
veuille me ressusciter, en me rendant mon cher
argent, ou en m'apprenant qui l'a pris ? Euh ? que
dites-vous ? Ce n'est personne. Il faut, qui que ce soit
qui ait fait le coup, qu'avec beaucoup de soin on ait
épié l'heure ; et l'on a choisi justement le temps que
je parlais à mon traître de fils. Sortons. Je veux aller
quérir la justice, et faire donner la question[2] à toute
la maison[3] : à servantes, à valets, à fils, à fille, et à
moi aussi. Que de gens assemblés ! Je ne jette mes
regards sur personne qui ne me donne des soupçons,
et tout me semble mon voleur. Eh ! de quoi est-
ce qu'on parle là ? De celui qui m'a dérobé ? Quel
bruit fait-on là-haut ? Est-ce mon voleur qui y est ? De
grâce, si l'on sait des nouvelles de mon voleur, je supplie que l'on m'en dise. N'est-il point caché là parmi
vous ? Ils me regardent tous, et se mettent à rire.
Vous verrez qu'ils ont part sans doute au vol que l'on
m'a fait. Allons vite, des commissaires, des archers,
des prévôts, des juges, des gênes, des potences et
des bourreaux[4]. Je veux faire pendre tout le monde ;

---

1. Protection.
2. Faire torturer.
3. La maisonnée, c'est-à-dire l'ensemble des personnes vivant
sous le même toit.
4. Harpagon convoque les hommes de justice — les commissaires qui instruisent les affaires, les archers, qui accompagnent,
armés, les prévôts chargés des arrestations, les juges qui rendent
les sentences et les bourreaux qui les exécutent — et les instru-

et si je ne retrouve mon argent, je me pendrai moi-même après.

---

ments qui sont utilisés lors des procès : les gênes, instruments de torture, et les potences, instruments de la pendaison.

Acte V

Scène I

HARPAGON,
LE COMMISSAIRE,
SON CLERC

LE COMMISSAIRE: Laissez-moi faire: je sais mon métier, Dieu merci. Ce n'est pas d'aujourd'hui que je me mêle de découvrir des vols; et je voudrais avoir autant de sacs de mille francs que j'ai fait pendre de personnes[1].

HARPAGON: Tous les magistrats sont intéressés à prendre cette affaire en main; et si l'on ne me fait retrouver mon argent, je demanderai justice de la justice.

LE COMMISSAIRE: Il faut faire toutes les poursuites requises. Vous dites qu'il y avait dans cette cassette…?

HARPAGON: Dix mille écus[2] bien comptés.

---

1. On pouvait en effet, au XVIIe siècle, être pendu pour vol.
2. Cf. n. 5 page 21.

LE COMMISSAIRE: Dix mille écus!

HARPAGON: Dix mille écus.

LE COMMISSAIRE: Le vol est considérable.

HARPAGON: Il n'y a point de supplice assez grand pour l'énormité de ce crime; et s'il demeure impuni, les choses les plus sacrées ne sont plus en sûreté.

LE COMMISSAIRE: En quelles espèces était cette somme?

HARPAGON: En bons louis d'or et pistoles bien tré-buchantes[1].

LE COMMISSAIRE: Qui soupçonnez-vous de ce vol?

HARPAGON: Tout le monde; et je veux que vous arrêtiez prisonniers la ville et les faubourgs.

LE COMMISSAIRE: Il faut, si vous m'en croyez, n'effa-roucher personne, et tâcher doucement d'attra-per quelques preuves, afin de procéder après par la rigueur au recouvrement des deniers[2] qui vous ont été pris.

---

1. Qui a le bon poids. Comme l'on prévoyait, en vue de l'usure à venir, un léger excédent de poids, les pièces neuves ou bien conservées faisaient pencher le trébuchet, balance réservée à leur pesée. La pistole et le louis valaient alors 11 livres.

2. Ce terme, qui désigne le taux, sert aussi à désigner l'argent en général.

Scène 2

MAÎTRE JACQUES,
HARPAGON,
LE COMMISSAIRE,
SON CLERC

MAÎTRE JACQUES, *au bout du théâtre, en se retournant du côté dont il sort*: Je m'en vais revenir. Qu'on me l'égorge tout à l'heure; qu'on me lui fasse griller les pieds, qu'on me le mette dans l'eau bouillante, et qu'on me le pende au plancher[1].

HARPAGON: Qui? celui qui m'a dérobé?

MAÎTRE JACQUES: Je parle d'un cochon de lait que votre intendant me vient d'envoyer, et je veux vous l'accommoder à ma fantaisie.

HARPAGON: Il n'est pas question de cela; et voilà Monsieur, à qui il faut parler d'autre chose.

LE COMMISSAIRE: Ne vous épouvantez point. Je suis homme à ne vous point scandaliser[2], et les choses iront dans la douceur.

MAÎTRE JACQUES: Monsieur est de votre souper?

LE COMMISSAIRE: Il faut ici, mon cher ami, ne rien cacher à votre maître.

MAÎTRE JACQUES: Ma foi! Monsieur, je montrerai tout ce que je sais faire, et je vous traiterai du mieux qu'il me sera possible.

---

1. Plafond, cf. n. 6 page 39.
2. Faire un affront.

HARPAGON : Ce n'est pas là l'affaire.

MAÎTRE JACQUES : Si je ne vous fais pas aussi bonne chère que je voudrais, c'est la faute de Monsieur notre intendant, qui m'a rogné les ailes avec les ciseaux de son économie.

HARPAGON : Traître, il s'agit d'autre chose que de souper ; et je veux que tu me dises des nouvelles de l'argent qu'on m'a pris.

MAÎTRE JACQUES : On vous a pris de l'argent ?

HARPAGON : Oui, coquin ; et je m'en vais te pendre, si tu ne me le rends.

LE COMMISSAIRE : Mon Dieu ! ne le maltraitez point. Je vois à sa mine qu'il est honnête homme[1], et que sans se faire mettre en prison, il vous découvrira ce que vous voulez savoir. Oui, mon ami, si vous nous confessez la chose, il ne vous sera fait aucun mal, et vous serez récompensé comme il faut par votre maître. On lui a pris aujourd'hui son argent, et il n'est pas que vous ne sachiez quelques nouvelles de cette affaire.

MAÎTRE JACQUES, *à part*: Voici justement ce qu'il me faut pour me venger de notre intendant : depuis qu'il est entré céans, il est le favori, on n'écoute que ses conseils ; et j'ai aussi sur le cœur les coups de bâton de tantôt.

HARPAGON : Qu'as-tu à ruminer ?

LE COMMISSAIRE : Laissez-le faire : il se prépare à vous contenter, et je vous ai bien dit qu'il était honnête homme.

---

1. Ou plutôt homme honnête car l'expression honnête homme sert au XVIIe siècle à caractériser un être poli, cultivé et raffiné.

MAÎTRE JACQUES : Monsieur, si vous voulez que je vous dise les choses, je crois que c'est Monsieur votre cher intendant qui a fait le coup.

HARPAGON : Valère ?

MAÎTRE JACQUES : Oui.

HARPAGON : Lui, qui me parait si fidèle ?

MAÎTRE JACQUES : Lui-même. Je crois que c'est lui qui vous a dérobé.

HARPAGON : Et sur quoi le crois-tu ?

MAÎTRE JACQUES : Sur quoi ?

HARPAGON : Oui.

MAÎTRE JACQUES : Je le crois... sur ce que je le crois.

LE COMMISSAIRE : Mais il est nécessaire de dire les indices que vous avez.

HARPAGON : L'as-tu vu rôder autour du lieu où j'avais mis mon argent ?

MAÎTRE JACQUES : Oui, vraiment. Où était-il, votre argent ?

HARPAGON : Dans le jardin.

MAÎTRE JACQUES : Justement : je l'ai vu rôder dans le jardin. Et dans quoi est-ce que cet argent était ?

HARPAGON : Dans une cassette.

MAÎTRE JACQUES : Voilà l'affaire : je lui ai vu une cassette.

HARPAGON : Et cette cassette, comment est-elle faite ? Je verrai bien si c'est la mienne.

MAÎTRE JACQUES : Comment elle est faite ?

HARPAGON : Oui.

MAÎTRE JACQUES : Elle est faite... elle est faite comme une cassette.

LE COMMISSAIRE : Cela s'entend. Mais dépeignez-la un peu, pour voir.

MAÎTRE JACQUES : C'est une grande cassette.

HARPAGON : Celle qu'on m'a volée est petite.

MAÎTRE JACQUES : Eh ! oui, elle est petite, si on le veut prendre par là ; mais je l'appelle grande pour ce qu'elle contient.

LE COMMISSAIRE : Et de quelle couleur est-elle ?

MAÎTRE JACQUES : De quelle couleur ?

LE COMMISSAIRE : Oui.

MAÎTRE JACQUES : Elle est de couleur… là, d'une certaine couleur… Ne sauriez-vous m'aider à dire ?

HARPAGON : Euh ?

MAÎTRE JACQUES : N'est-elle pas rouge ?

HARPAGON : Non, grise.

MAÎTRE JACQUES : Eh ! oui, gris-rouge : c'est ce que je voulais dire.

HARPAGON : Il n'y a point de doute : c'est elle assurément. Écrivez, Monsieur, écrivez sa déposition. Ciel ! à qui désormais se fier ? Il ne faut plus jurer de rien ; et je crois après cela que je suis homme à me voler moi-même.

MAÎTRE JACQUES : Monsieur, le voici qui revient. Ne lui allez pas dire au moins que c'est moi qui vous ai découvert cela.

Scène 3

VALÈRE, HARPAGON,
LE COMMISSAIRE,
SON CLERC,
MAÎTRE JACQUES

HARPAGON: Approche: viens confesser l'action la plus noire, l'attentat le plus horrible qui jamais ait été commis.

VALÈRE: Que voulez-vous, Monsieur?

HARPAGON: Comment traître, tu ne rougis pas de ton crime?

VALÈRE: De quel crime voulez-vous donc parler?

HARPAGON: De quel crime je veux parler, infâme! comme si tu ne savais pas ce que je veux dire. C'est en vain que tu prétendrais de[1] le déguiser: l'affaire est découverte, et l'on vient de m'apprendre tout. Comment abuser ainsi de ma bonté, et s'introduire exprès chez moi pour me trahir? pour me jouer un tour de cette nature?

VALÈRE: Monsieur, puisqu'on vous a découvert tout, je ne veux point chercher de détours et vous nier la chose.

MAÎTRE JACQUES: Oh, oh! aurais-je deviné sans y penser?

VALÈRE: C'était mon dessein de vous en parler, et je

---

1. En français moderne on supprimerait la préposition *de*.

voulais attendre pour cela des conjonctures favorables ; mais puisqu'il est ainsi, je vous conjure de ne
vous point fâcher, et de vouloir entendre mes raisons.

HARPAGON : Et quelles belles raisons peux-tu me
donner, voleur infâme ?

VALÈRE : Ah ! Monsieur, je n'ai pas mérité ces noms.
Il est vrai que j'ai commis une offense envers vous ;
mais, après tout, ma faute est pardonnable.

HARPAGON : Comment, pardonnable ? Un guet-
apens ? un assassinat de la sorte ?

VALÈRE : De grâce, ne vous mettez point en colère.
Quand vous m'aurez ouï, vous verrez que le mal n'est
pas si grand que vous le faites.

HARPAGON : Le mal n'est pas si grand que je le fais !
Quoi ? mon sang, mes entrailles, pendard ?

VALÈRE : Votre sang, Monsieur, n'est pas tombé dans
de mauvaises mains. Je suis d'une condition à ne lui
point faire de tort, et il n'y a rien en tout ceci que je
ne puisse bien réparer.

HARPAGON : C'est bien mon intention, et que tu
me restitues ce que tu m'as ravi.

VALÈRE : Votre honneur, Monsieur, sera pleinement
satisfait.

HARPAGON : Il n'est pas question d'honneur là-
dedans. Mais, dis-moi, qui t'a porté à cette action ?

VALÈRE : Hélas ! me le demandez-vous ?

HARPAGON : Oui, vraiment, je te le demande.

VALÈRE : Un dieu qui porte les excuses de tout ce
qu'il fait faire : l'Amour.

HARPAGON : L'Amour ?

VALÈRE : Oui.

HARPAGON : Bel amour, bel amour, ma foi ! l'amour de mes louis d'or.

VALÈRE : Non, Monsieur, ce ne sont point vos richesses qui m'ont tenté ; ce n'est pas cela qui m'a ébloui, et je proteste de ne prétendre rien à tous vos biens, pourvu que vous me laissiez celui que j'ai.

HARPAGON : Non ferai[1], de par tous les diables ! je ne te le laisserai pas. Mais voyez quelle insolence de vouloir retenir le vol qu'il m'a fait !

VALÈRE : Appelez-vous cela un vol ?

HARPAGON : Si je l'appelle un vol ? Un trésor comme celui-là !

VALÈRE : C'est un trésor, il est vrai, et le plus précieux que vous ayez sans doute ; mais ce ne sera pas le perdre que de me le laisser. Je vous le demande à genoux, ce trésor plein de charmes ; et pour bien faire, il faut que vous me l'accordiez.

HARPAGON : Je n'en ferai rien. Qu'est-ce à dire cela ?

VALÈRE : Nous nous sommes promis une foi mutuelle, et avons fait serment de ne nous point abandonner.

HARPAGON : Le serment est admirable, et la promesse plaisante !

VALÈRE : Oui, nous nous sommes engagés d'être[2] l'un à l'autre à jamais.

HARPAGON : Je vous en empêcherai bien, je vous assure.

---

1. Je n'en ferai rien.
2. Engagés à être.

VALÈRE : Rien que la mort ne nous peut séparer.

HARPAGON : C'est être bien endiablé après mon argent.

VALÈRE : Je vous ai déjà dit, Monsieur, que ce n'était point l'intérêt qui m'avait poussé à faire ce que j'ai fait. Mon cœur n'a point agi par les ressorts [1] que vous pensez, et un motif plus noble m'a inspiré cette résolution.

HARPAGON : Vous verrez que c'est par charité chrétienne qu'il veut avoir mon bien ; mais j'y donnerai bon ordre ; et la justice, pendard [2] effronté, me va faire raison de tout.

VALÈRE : Vous en userez comme vous voudrez, et me voilà prêt à souffrir toutes les violences qu'il vous plaira ; mais je vous prie de croire au moins que, s'il y a du mal, ce n'est que moi qu'il en faut accuser, et que votre fille en tout ceci n'est aucunement coupable.

HARPAGON : Je le crois bien, vraiment ; il serait fort étrange que ma fille eût trempé dans ce crime. Mais je veux ravoir mon affaire [3], et que tu me confesses en quel endroit tu me l'as enlevée.

VALÈRE : Moi ? je ne l'ai point enlevée, et elle est encore chez vous.

HARPAGON : Ô ma chère cassette ! Elle n'est point sortie de ma maison ?

VALÈRE : Non, Monsieur.

HARPAGON : Hé ! dis-moi donc un peu : tu n'y as point touché ?

---

1. Les motifs.
2. Vaurien, fripon.
3. Mon bien, ce qui m'appartient.

VALÈRE: Moi, y toucher? Ah! vous lui faites tort, aussi bien qu'à moi; et c'est d'une ardeur toute pure et respectueuse que j'ai brûlé pour elle.

HARPAGON: Brûlé pour ma cassette!

VALÈRE: J'aimerais mieux mourir que de lui avoir fait paraître aucune pensée offensante: elle est trop sage et trop honnête pour cela.

HARPAGON: Ma cassette trop honnête!

VALÈRE: Tous mes désirs se sont bornés à jouir de sa vue; et rien de criminel n'a profané la passion que ses beaux yeux m'ont inspirée.

HARPAGON: Les beaux yeux de ma cassette! Il parle d'elle comme un amant d'une maîtresse.

VALÈRE: Dame Claude, Monsieur, sait la vérité de cette aventure, et elle vous peut rendre témoignage…

HARPAGON: Quoi? ma servante est complice de l'affaire?

VALÈRE: Oui, Monsieur, elle a été témoin de notre engagement; et c'est après avoir connu l'honnêteté de ma flamme, qu'elle m'a aidé à persuader votre fille de me donner sa foi, et recevoir la mienne.

HARPAGON: Eh? Est-ce que la peur de la justice le fait extravaguer? Que nous brouilles-tu ici de ma fille[1]?

VALÈRE: Je dis, Monsieur, que j'ai eu toutes les peines du monde à faire consentir sa pudeur à ce que voulait mon amour.

HARPAGON: La pudeur de qui?

VALÈRE: De votre fille; et c'est seulement depuis

---

1. Que viens-tu nous embrouiller en parlant de ma fille?

hier qu'elle a pu se résoudre à nous signer mutuellement une promesse de mariage.

HARPAGON : Ma fille t'a signé une promesse de mariage !

VALÈRE : Oui, Monsieur, comme de ma part je lui en ai signé une.

HARPAGON : Ciel ! autre disgrâce !

MAÎTRE JACQUES : Écrivez, Monsieur, écrivez.

HARPAGON : Rengrégement[1] de mal ! surcroît de désespoir ! Allons, Monsieur, faites le dû de votre charge[2], et dressez-lui-moi son procès, comme larron, et comme suborneur[3].

VALÈRE : Ce sont des noms qui ne me sont point dus ; et quand on saura qui je suis...

Scène 4

ÉLISE, MARIANE, FROSINE,
HARPAGON, VALÈRE,
MAÎTRE JACQUES,
LE COMMISSAIRE,
SON CLERC

HARPAGON : Ah ! fille scélérate ! fille indigne d'un père comme moi ! c'est ainsi que tu pratiques les leçons que je t'ai données ? Tu te laisses prendre

---

1. Augmentation, accroissement.
2. Le devoir que vous impose votre charge.
3. Séducteur.

d'amour pour un voleur infâme, et tu lui engages ta foi sans mon consentement? Mais vous serez trompés l'un et l'autre. Quatre bonnes murailles me répondront de ta conduite[1]; et une bonne potence me fera raison de ton audace.

VALÈRE: Ce ne sera point votre passion qui jugera l'affaire; et l'on m'écoutera, au moins, avant que de me condamner.

HARPAGON: Je me suis abusé de dire une potence, et tu seras roué tout vif[2].

ÉLISE, *à genoux devant son père*: Ah! mon père, prenez des sentiments un peu plus humains, je vous prie, et n'allez point pousser les choses dans les dernières violences du pouvoir paternel. Ne vous laissez point entraîner aux premiers mouvements de votre passion, et donnez-vous le temps de considérer ce que vous voulez faire. Prenez la peine de mieux voir celui dont vous vous offensez: il est tout autre que vos yeux ne le jugent; et vous trouverez moins étrange que je me sois donnée[3] à lui, lorsque vous saurez que sans lui vous ne m'auriez plus il y a longtemps. Oui, mon père, c'est celui qui me sauva de ce grand péril que vous savez que je courus dans l'eau, et à qui vous devez la vie de cette même fille dont...

HARPAGON: Tout cela n'est rien; et il valait bien mieux pour moi qu'il te laissât noyer que de faire ce qu'il a fait.

---

1. Un père avait le droit de faire enfermer son enfant mineur qui lui avait gravement désobéi.
2. Soumis au supplice de la roue, c'est-à-dire brisé par une roue.
3. Promise.

ÉLISE : Mon père, je vous conjure, par l'amour paternel, de me…

HARPAGON : Non, non, je ne veux rien entendre ; et il faut que la justice fasse son devoir.

MAÎTRE JACQUES : Tu me payeras mes coups de bâton.

FROSINE : Voici un étrange embarras.

Scène 5

ANSELME, HARPAGON,
ÉLISE, MARIANE, FROSINE,
VALÈRE, MAÎTRE JACQUES,
LE COMMISSAIRE,
SON CLERC

ANSELME : Qu'est-ce, seigneur[1] Harpagon ? je vous vois tout ému.

HARPAGON : Ah ? seigneur Anselme, vous me voyez le plus infortuné de tous les hommes ; et voici bien du trouble et du désordre au contrat que vous venez faire ! On m'assassine dans le bien, on m'assassine dans l'honneur ; et voilà un traître, un scélérat, qui a violé tous les droits les plus saints, qui s'est coulé[2] chez moi sous le titre de domestique[3], pour me dérober mon argent et pour me suborner ma fille.

---

1. Cf. n. 4 page 28.
2. S'est glissé.
3. Cf. n. 2 page 10.

VALÈRE: Qui songe à votre argent, dont vous me faites un galimatias?

HARPAGON: Oui, ils se sont donné l'un et l'autre une promesse de mariage. Cet affront vous regarde, seigneur Anselme, et c'est vous qui devez vous rendre partie[1] contre lui, et faire toutes les poursuites de la justice, pour vous venger de son insolence.

ANSELME: Ce n'est pas mon dessein de me faire épouser par force, et de rien[2] prétendre à un cœur qui se serait donné; mais pour vos intérêts, je suis prêt à les embrasser ainsi que les miens propres.

HARPAGON: Voilà Monsieur qui est un honnête commissaire, qui n'oubliera rien, à ce qu'il m'a dit, de la fonction de son office. Chargez-le comme il faut, Monsieur, et rendez les choses bien criminelles.

VALÈRE: Je ne vois pas quel crime on me peut faire de la passion que j'ai pour votre fille; et le supplice où vous croyez que je puisse être condamné pour notre engagement, lorsqu'on saura ce que je suis...

HARPAGON: Je me moque de tous ces contes; et le monde aujourd'hui n'est plein que de ces larrons de noblesse, que de ces imposteurs, qui tirent avantage de leur obscurité, et s'habillent insolemment du premier nom illustre qu'ils s'avisent de prendre.

VALÈRE: Sachez que j'ai le cœur trop bon[3] pour me parer de quelque chose qui ne soit point à moi, et que tout Naples peut rendre témoignage de ma naissance.

----

1. Devenir son adversaire en justice.
2. En rien.
3. Noble, généreux.

ANSELME: Tout beau! prenez garde à ce que vous allez dire. Vous risquez ici plus que vous ne pensez; et vous parlez devant un homme à qui tout Naples est connu, et qui peut aisément voir clair dans l'histoire que vous ferez.

VALÈRE, *en mettant fièrement son chapeau*: Je ne suis point homme à rien craindre, et si Naples vous est connu, vous savez qui était Dom Thomas d'Alburcy.

ANSELME: Sans doute, je le sais; et peu de gens l'ont connu mieux que moi.

HARPAGON: Je ne me soucie ni de Dom Thomas ni de Dom Martin.

ANSELME: De grâce, laissez-le parler, nous verrons ce qu'il en veut dire.

VALÈRE: Je veux dire que c'est lui qui m'a donné le jour.

ANSELME: Lui?

VALÈRE: Oui.

ANSELME: Allez; vous vous moquez. Cherchez quelque autre histoire, qui vous puisse mieux réussir, et ne prétendez pas vous sauver sous cette imposture.

VALÈRE: Songez à mieux parler. Ce n'est point une imposture; et je n'avance rien qu'il ne me soit aisé de justifier.

ANSELME: Quoi? vous osez vous dire fils de Dom Thomas d'Alburcy?

VALÈRE: Oui, je l'ose; et je suis prêt de soutenir cette vérité contre qui que ce soit.

ANSELME: L'audace est merveilleuse. Apprenez, pour vous confondre, qu'il y a seize ans pour le moins que l'homme dont vous nous parlez périt sur mer avec ses enfants et sa femme, en voulant dérober leur vie aux cruelles persécutions qui ont accompagné les désordres de Naples[1] et qui en firent exiler plusieurs nobles familles.

VALÈRE : Oui ; mais apprenez, pour vous confondre, vous, que son fils, âgé de sept ans[2], avec un domestique, fut sauvé de ce naufrage par un vaisseau espagnol, et que ce fils sauvé est celui qui vous parle ; apprenez que le capitaine de ce vaisseau, touché de ma fortune[3], prit amitié pour moi ; qu'il me fit élever comme son propre fils, et que les armes furent mon emploi dès que je m'en trouvai capable ; que j'ai su depuis peu que mon père n'était point mort, comme je l'avais toujours cru ; que passant ici pour l'aller chercher, une aventure, par le Ciel concertée, me fit voir la charmante Élise ; que cette vue me rendit esclave de ses beautés ; et que la violence de mon amour, et les sévérités de son père, me firent prendre la résolution de m'introduire dans son logis, et d'envoyer un autre à la quête de mes parents.

ANSELME : Mais quels témoignages encore, autres que vos paroles, nous peuvent assurer que ce ne soit point une fable que vous ayez bâtie sur une vérité ?

VALÈRE : Le capitaine espagnol ; un cachet de rubis qui était à mon père ; un bracelet d'agate que ma

---

1. On peut voir là une allusion aux troubles que provoqua en 1647-1648 Thomas Aniello, dit Masaniello, mais il va de soi que ce passage peut renvoyer à tous les autres troubles qui ont agité Naples et même à la seule idée de troubles.

2. Puisque le naufrage a eu lieu il y a seize ans, Valère est censé avoir 23 ans.

3. Destinée.

mère m'avait mis au bras ; le vieux Pedro, ce domestique qui se sauva avec moi du naufrage.

MARIANE : Hélas ! à vos paroles je puis ici répondre, moi, que vous n'imposez[1] point ; et tout ce que vous dites me fait connaître clairement que vous êtes mon frère.

VALÈRE : Vous ma sœur ?

MARIANE : Oui. Mon cœur s'est ému dès le moment que vous avez ouvert la bouche ; et notre mère, que vous allez ravir, m'a mille fois entretenue des disgrâces de notre famille. Le Ciel ne nous fit point aussi[2] périr dans ce triste naufrage ; mais il ne nous sauva la vie que par la perte de notre liberté ; et ce furent des corsaires[3] qui nous recueillirent, ma mère et moi, sur un débris de notre vaisseau. Après dix ans d'esclavage, une heureuse fortune nous rendit notre liberté, et nous retournâmes dans Naples, où nous trouvâmes tout notre bien vendu, sans y pouvoir trouver des nouvelles de notre père. Nous passâmes à Gênes, où ma mère alla ramasser quelques malheureux restes d'une succession qu'on avait déchirée ; et

---

1. Trompez.
2. Non plus.
3. Ceux qui exercent la course en mer, en y étant autorisés par un *brevet* délivré par leur gouvernement. Ce brevet accorde l'autorisation de *courir sus* aux embarcations appartenant aux ressortissants d'États ennemis, d'en prendre possession et de partager les bénéfices de l'opération avec le gouvernement qui a délivré le brevet (4/5 au gouvernement, 1/5 aux corsaires). Les pirates (forbans) exercent cette course pour leur propre compte et sans brevet. Les butins de la course et de la piraterie consistent aussi en prises de captifs dont la libération est soumise à rançon. Les tribulations de ces captifs ont alimenté l'imagination des romanciers et des dramaturges.

de là, fuyant la barbare injustice de ses parents, elle vint en ces lieux, où elle n'a presque vécu que d'une vie languissante.

ANSELME : Ô Ciel ! quels sont les traits de ta puissance ! et que tu fais bien voir qu'il n'appartient qu'à toi de faire des miracles ! Embrassez-moi, mes enfants, et mêlez tous deux vos transports à ceux de votre père.

VALÈRE : Vous êtes notre père ?

MARIANE : C'est vous que ma mère a tant pleuré ?

ANSELME : Oui, ma fille, oui, mon fils, je suis Dom Thomas d'Alburcy, que le Ciel garantit des ondes avec tout l'argent qu'il portait, et qui vous ayant tous crus morts durant plus de seize ans, se préparait, après de longs voyages, à chercher dans l'hymen d'une douce et sage personne la consolation de quelque nouvelle famille. Le peu de sûreté que j'ai vu pour ma vie à retourner à Naples m'a fait y renoncer pour toujours ; et ayant su trouver moyen d'y faire vendre ce que j'avais, je me suis habitué[1] ici, où, sous le nom d'Anselme, j'ai voulu m'éloigner les chagrins de cet autre nom qui m'a causé tant de traverses.

HARPAGON : C'est là votre fils ?

ANSELME : Oui.

HARPAGON : Je vous prends à partie, pour me payer dix mille écus qu'il m'a volés.

ANSELME : Lui, vous avoir volé ?

HARPAGON : Lui-même.

VALÈRE : Qui vous dit cela ?

---

1. Je me suis installé.

HARPAGON : Maître Jacques.

VALÈRE : C'est toi qui le dis ?

MAÎTRE JACQUES : Vous voyez que je ne dis rien.

HARPAGON : Oui : voilà Monsieur le Commissaire qui a reçu sa déposition.

VALÈRE : Pouvez-vous me croire capable d'une action si lâche ?

HARPAGON : Capable ou non capable, je veux ravoir mon argent.

Scène 6

CLÉANTE, VALÈRE,
MARIANE, ÉLISE, FROSINE,
HARPAGON, ANSELME,
MAÎTRE JACQUES,
LA FLÈCHE, COMMISSAIRE,
SON CLERC

CLÉANTE : Ne vous tourmentez point, mon père, et n'accusez personne. J'ai découvert des nouvelles de votre affaire, et je viens ici pour vous dire que, si vous voulez vous résoudre à me laisser épouser Mariane, votre argent vous sera rendu.

HARPAGON : Où est-il ?

CLÉANTE : Ne vous en mettez point en peine : il est en lieu dont je réponds, et tout ne dépend que de moi. C'est à vous de me dire à quoi vous vous déterminez ; et vous pouvez choisir, ou de me donner Mariane, ou de perdre votre cassette.

HARPAGON : N'en a-t-on rien ôté ?

CLÉANTE : Rien du tout. Voyez si c'est votre dessein de souscrire à ce mariage, et de joindre votre consentement à celui de sa mère, qui lui laisse la liberté de faire un choix entre nous deux.

MARIANE : Mais vous ne savez pas que ce n'est pas assez que ce consentement, et que le Ciel, avec un frère que vous voyez, vient de me rendre un père dont vous avez à m'obtenir.

ANSELME : Le Ciel, mes enfants, ne me redonne point à vous pour être contraire à vos vœux. Seigneur Harpagon, vous jugez bien que le choix d'une jeune personne tombera sur le fils plutôt que sur le père. Allons, ne vous faites point dire ce qu'il n'est pas nécessaire d'entendre, et consentez ainsi que moi à ce double hyménée.

HARPAGON : Il faut, pour me donner conseil, que je voie ma cassette.

CLÉANTE : Vous la verrez saine et entière.

HARPAGON : Je n'ai point d'argent à donner en mariage à mes enfants.

ANSELME : Hé bien ! j'en ai pour eux ; que cela ne vous inquiète point.

HARPAGON : Vous obligerez-vous à faire tous les frais de ces deux mariages ?

ANSELME : Oui, je m'y oblige : êtes-vous satisfait ?

HARPAGON : Oui, pourvu que pour les noces vous me fassiez faire un habit.

ANSELME : D'accord. Allons jouir de l'allégresse que cet heureux jour nous présente.

LE COMMISSAIRE : Holà ! Messieurs, holà ! tout doucement, s'il vous plaît: qui me payera mes écritures[1]?

HARPAGON: Nous n'avons que faire de vos écritures.

LE COMMISSAIRE: Oui! mais je ne prétends pas, moi, les avoir faites pour rien.

HARPAGON: Pour votre paiement, voilà un homme que je vous donne à pendre.

MAÎTRE JACQUES: Hélas! comment faut-il donc faire? On me donne des coups de bâton pour dire vrai, et on me veut pendre pour mentir.

ANSELME: Seigneur Harpagon, il faut lui pardonner cette imposture.

HARPAGON: Vous payerez donc le Commissaire?

ANSELME: Soit. Allons vite faire part de notre joie à votre mère.

HARPAGON: Et moi, voir ma chère cassette.

Du tableau

au texte

Valérie Lagier

Du tableau au texte

L'Avare de Jan Steen

... une pièce de genre...

Créée en 1668, *L'Avare* est une œuvre que l'on pourrait qualifier de « pièce de genre », sorte d'équivalent littéraire à cette forme d'art, très en vogue dans la Hollande du XVIIᵉ siècle, qui s'attache à décrire les mœurs contemporaines, bourgeoises ou populaires, avec un humour parfois teinté de cruauté. Et chez Molière comme chez nombre d'artistes hollandais de son temps, dans le récit de mœurs, ces scènes de vie quotidienne insistant sur les aspects les moins reluisants de la condition humaine, la dimension satirique se teinte parfois d'une intention morale. Dans *L'Avare*, Harpagon est ainsi rongé de l'intérieur par le mal d'argent qui corrompt les sentiments, inverse les valeurs, conduit à un repli sur soi et à l'oubli des autres. Esclave de son argent et de son besoin de le posséder, il ne peut avoir avec les autres humains de rapports qu'entachés de méfiance, et la peur de le perdre l'obsède comme un cancer. Inaccessible à l'amour, même filial, il ne conçoit ses relations qu'avec égoïsme et intérêt et est capable d'un seul attachement véritable : celui éprouvé pour sa « chère cassette » qui lui tient lieu à la fois de femme et d'enfants! Grossissant le trait, Molière parvient à nous faire rire sans renoncer à nous faire réfléchir. En tournant en ridicule les défauts humains, il nous invite inconsciemment à ne point leur céder. Volontaire et assumée, cette démarche est clairement définie par l'auteur dans la *Préface à Tartuffe*, parue l'année suivante, en 1669 : « C'est une grande atteinte aux vices que de les exposer à la risée de tout le monde. On veut bien être méchant, mais on ne veut point être ridicule. » C'est dans le même état d'esprit que les artistes hollandais du XVIIe siècle ont multiplié les sujets triviaux, beuveries de cabaret ou scènes lestes, vulgaires et comiques à la fois, dont l'intention morale est à peine cachée. L'homme y est dépeint comme aveuglé par ses vices, instrument de son propre malheur, ridicule dans la complaisance qu'il affiche pour ses propres travers. Jan Steen, artiste hollandais originaire de Leyde, avec sa gouaille et sa verve, est un parfait représentant de cette tendance, et son œuvre intitulée *L'Avare* offre ainsi un miroir convaincant, dépourvu de toute indulgence, au personnage d'Harpagon.

… le plaisir et l'inquiétude…

Ce petit panneau peint à l'huile, au format très modeste, signé en bas à gauche « J. Steen », montre un personnage à mi-corps, penché au-dessus d'un portillon de bois, examinant une pièce de son trésor avec un regard intense et concentré. Dans ce visage ingrat, marqué par l'âge et l'avidité, se lisent à la fois le plaisir et l'inquiétude. La bouche, aux lèvres

épaisses, s'entrouvre et se retrousse en une moue
sensuelle, comme si l'homme esquissait un baiser à
l'endroit de sa pièce, quand le sourcil se fronce et le
front se ride sous l'effet de l'anxiété. Car tout bien
terrestre, dès lors qu'on le possède, finit toujours
par nous tenir en sa possession. La peur de le perdre
nous gâche le plaisir qu'il nous procure. Le cadre
volontairement restreint de la scène, qui se déroule
à la fois à l'extérieur et à l'intérieur, sans qu'aucun
des deux décors soit décrit, concentre le regard
sur le personnage et sur son trésor. Le fond noir de
l'ouverture offre un écrin neutre au visage qui se
découpe avec netteté. Cet artifice de composition
permet de projeter le personnage vers le spectateur,
et à la lumière, venue de la gauche, de dessiner avec
brutalité les traits grossiers de sa physionomie tout
en donnant un poids et une texture aux étoffes de
son costume. Sa toque de feutre bordée de fourrure
et son vêtement de toile rude et épaisse sont d'une
tonalité brun orangé qui se marie harmonieuse-
ment avec la teinte du bois de la paroi et de la porte.
Le pinceau, multipliant les petites touches visibles,
rend la légèreté soyeuse des poils et la rugosité de la
laine. La bourse que l'homme serre contre son flanc,
débordante de pièces d'or ou d'argent, ne vient en
rien rompre visuellement ce camaïeu de bruns.
En haut à droite, le long du chambranle de la porte,
un fragment de papier est punaisé, laissant deviner
trois lignes d'un texte en hollandais : « *Dat gebit nitt.* »
Peut-être faut-il voir dans ce texte quelque sentence
ou quelque proverbe destiné à faire réfléchir le
spectateur sur les méfaits de l'avarice ?

... proverbes, fruits de la sagesse populaire...

Cela n'aurait rien de très étonnant chez Jan
Steen, qui a consacré une partie de son œuvre à
l'illustration de proverbes, fruits de la sagesse populaire, suivant en cela une tradition mise à l'honneur
en Flandres au siècle précédent par Jérôme Bosch et
Peter Bruegel. On lui doit ainsi des peintures intitu-
lées *Comme les vieux chantent, les petits gazouillent* (vers
1663, Musée Fabre de Montpellier) ou encore *Dans
la prospérité, restez vigilant* (1663, Kunsthistorisches
Museum, Vienne). Ces œuvres, inspirées le plus souvent par des gravures dont les recueils circulaient
dans les milieux des peintres nordiques des XVIe
et XVIIe siècles, montrent des scènes d'intérieur à
plusieurs personnages, occupés à boire, fumer et
ripailler dans des attitudes décontractées, sans rete-
nue ni affectation. Le naturel des poses confine
parfois à la vulgarité, comme si l'artiste exagérait
volontairement son propos afin d'en rendre plus
explicite la compréhension. Si, au premier degré,
ces scènes portent un regard bienveillant sur les
mœurs légères des contemporains de l'artiste, elles
n'en recèlent pas moins une mise à distance humo-
ristique qui place d'emblée le propos dans le registre
moralisateur. On y a parfois vu des illustrations de la
propre vie de l'artiste, car nombre de ses proches y
figurent. Fils de brasseur aubergiste, ayant lui-même
exercé cette profession à Delft de 1654 à 1656, puis
à Leyde à partir de 1670, l'artiste avait ainsi tout le
loisir d'observer la dissolution des mœurs de ses
contemporains. Peut-être aussi que cette vision répé-
tée l'a conduit à l'interrogation sur la vanité de toute

action humaine, dès lors qu'elle a pour but la satisfaction égoïste des plaisirs. Cette réflexion est d'ailleurs largement partagée par toute une société
écartelée entre deux ambitions contradictoires :
l'amas de richesse et le salut de l'âme. Protestante,
la Hollande du XVIIe siècle est à la fois une riche
nation maritime et marchande, et un pays d'intense
réflexion théologique sur les moyens d'obtenir la
grâce divine. La peinture, qui multiplie les vanités,
ces natures mortes mettant en scène les biens terrestres dont l'importance est réduite à néant par la
présence d'un crâne, symbole de la mort, investit
pareillement de réflexion morale les scènes de genre.

... un comique de grimaces et de gestes...

Dans ce contexte, *L'Avare* de Steen prend un
relief nouveau. Si l'on se souvient que l'avarice est,
au même titre que la colère, l'envie, la gourman-
dise, la luxure, l'orgueil et la paresse, un des sept
péchés capitaux, on comprend dès lors que la représentation d'un avare en Hollande au XVIIe siècle peut
être empreinte d'une intention morale. Surtout que
le regard du peintre est, à l'égal de Molière, sans
aucune complaisance pour son modèle. C'est sans
tendresse que le pinceau de l'artiste rend compte de
ce qu'il voit. On ne peut guère imaginer, pour cette
composition, une observation fortuite d'une scène
de la vie quotidienne, captée au détour d'une rue.
Ce tableau résulte d'une intention, d'une volonté
de démonstration. Ce visage n'est pas celui d'un
individu particulier, ce n'est pas un portrait mais un
type humain, presque une caricature. La laideur et

la banalité des traits sont là pour créer un avare universel, et non un avare identifié. Si l'on songe maintenant à la pièce, on sent bien que le caractère outré
du personnage d'Harpagon, son avarice obsession-
nelle et disproportionnée, répond aux mêmes ambitions pour Molière : démontrer, en grossissant le
défaut, en le tournant en ridicule, l'impasse dans
laquelle il peut conduire quiconque y cède. Les dia-
tribes du personnage, souvent excessives, appellent
le jeu grimaçant et outrancier de l'acteur, directement hérité de la *commedia dell'arte*. On imagine
assez bien la multiplicité de mimiques et l'intense
gesticulation du corps, nécessaires à l'expression des
tirades du monologue d'Harpagon, après la découverte du vol de sa cassette : « ... Qui peut-ce être ?
Qu'est-il devenu ? Où est-il ? Où se cache-t-il ? Que
ferai-je pour le trouver ? Où courir ? Où ne pas courir ? N'est-il point là ? N'est-il point ici ? Qui est-ce ?
Arrête. Rends-moi mon argent, coquin... » Et c'est
bien au comique de grimaces et de gestes que res-
sortit cette peinture de Jan Steen, comme la plupart
des scènes de genre, bambochades et pantomimes,
exécutées par l'artiste. La source en est à chercher
dans le goût de l'artiste pour le théâtre contemporain hollandais, qui, dans cette seconde moitié du
XVIIᵉ siècle, se nourrit aussi bien de la *commedia
dell'arte* que de l'influence des pièces de Molière,
traduites avec succès. Ainsi, les univers des deux
créateurs contemporains, malgré leur éloignement
géographique, puisent à la même source d'inspira-
tion, celle du théâtre populaire italien.

... la comédie, au théâtre et en peinture, permet une critique virulente...

En un temps où la peinture d'histoire est le genre noble de la peinture, et où la tragédie est la forme la plus prisée de l'art théâtral, la peinture de genre et la comédie empruntent des chemins de traverse pour toucher les spectateurs et les amener en douceur à une réflexion philosophique et morale. Car la leçon pontifiante, trop clairement visible dans les genres nobles de l'art, est dans les genres mineurs atténuée par le rire, qui permet de s'interroger en toute légèreté sur les petits travers de la condition humaine. Molière et Jan Steen, au risque d'être taxés d'immoralité et de vulgarité, usent d'un langage populaire et direct pour parler de choses graves. Moralistes, ils prennent tous deux le risque du rire, conscients que celui-ci peut être une arme à double tranchant. La comédie, au théâtre et en peinture, permet d'oser une critique virulente, mais le divertissement auquel elle prédispose ne crée pas toujours les conditions d'une réflexion sérieuse. Si l'on rit des personnages de Molière ou de Jan Steen, de leur avare possédé par le mal de l'or, il reste extérieur à nous, comme un personnage exotique et divertissant dont on est tout prêt à se moquer du ridicule. Mais la distance entre lui et nous est trop importante, son avarice trop prononcée pour qu'elle nous permette de retrouver en nous la moindre parcelle de ce défaut qui y serait enfouie. On rit de lui, mais pas de nous à travers lui. On peut donc s'en moquer, sans pour autant se sentir menacé. L'intention morale, très perceptible pour les contemporains, a perdu avec le temps sa force de conviction au profit de la délectation pour la dimension proprement légère et comique du propos. Et la conscience de la vanité des biens terrestres, si présente aux esprits du XVIIᵉ siècle profondément imprégnés de sentiment religieux, s'est, dans notre société matérialiste, peu à peu effacée. Si la charge comique a traversé le temps, dans la peinture comme dans la pièce, le sous-entendu moral, en un temps où la notion de péché capital ne conditionne plus les actions, s'est tu.

Le texte

en perspective

Suzanne Guellouz

Vie littéraire

Le théâtre au XVIIᵉ siècle

LE THÉÂTRE N'EST PAS NÉ en France au
XVIIᵉ siècle. Il n'est pas le seul genre à y avoir alors
fleuri. Enfin la France n'est pas une exception : c'est
dans toute l'Europe que, de la Renaissance à la
Révolution de 1789, il a occupé une place de choix.
Pourtant, aujourd'hui, XVIIᵉ siècle français et théâtre
sont inséparables et il n'est guère possible d'évoquer l'un sans évoquer l'autre.

1.

Le théâtre dans le siècle

1. *La situation matérielle*

La vie théâtrale, au XVIIᵉ siècle, ne se limite pas
— loin de là — aux représentations qui sont données, en public, dans des lieux spécialement conçus
à cet effet. À Paris et en province, les troupes sont
accueillies soit dans des demeures royales ou sei-
gneuriales, soit sur des places ou dans des granges.
On assiste cependant à une incontestable stabilisa-
tion, du moins à Paris, à partir du moment où s'ins-

tallent, aux alentours de 1630, à l'Hôtel de Bourgogne et au Théâtre du Marais, deux troupes permanentes d'une douzaine de comédiens chacune et, en 1653, au Petit-Bourbon, celle des Italiens.

Les représentations ont lieu l'après-midi, dans les premières années du siècle trois fois par semaine, par la suite quatre ou cinq fois. La diversité des choix opérés par les troupes et le fait qu'elles montent chacune plusieurs spectacles par saison compensent cette apparente pauvreté.

Si la partie la plus humble de la population se contente des spectacles farcesques du Pont-Neuf, les aristocrates et les bourgeois fréquentent, eux, les salles précédemment mentionnées. Le parterre — ce qu'aujourd'hui nous appelons l'orchestre — accueille le plus grand nombre de spectateurs. On s'y tient debout et l'on s'y agite parfois beaucoup. C'est dans l'amphithéâtre, situé à l'arrière, que l'on peut s'asseoir. Des loges s'étagent sur deux ou trois niveaux et, à partir de 1650, certains spectateurs sont installés sur la scène. L'éclairage est assuré par des chandelles. Tout au long du siècle, et dès les années 1640, la mise en scène se perfectionne : on travaille les décors, on utilise des machines.

Les Grands et le pouvoir, qui en espérait un gain politique, soutinrent les troupes. Richelieu, qui, rêvant lui-même d'être dramaturge, avait créé la Compagnie des cinq auteurs, fut le premier à comprendre que ce genre, en raison de son impact social, devait occuper une place de choix dans un programme de développement culturel. La régente Anne d'Autriche et surtout Mazarin, du moins avant la Fronde, jouèrent un rôle important : le cardinal fit venir d'Italie, son pays d'origine, outre l'ingénieur Torelli qui contribua beaucoup aux progrès scénographiques, le compositeur Rossi : c'est dans le décor construit pour son *Orfeo* qu'est donné, en 1650, soit trois ans plus tard, l'*Andromède* de Corneille qui est une pièce à machines. Mais c'est surtout Louis XIV qui, dès le début de sa prise de pouvoir effectif, autrement dit après qu'il eut écarté le surintendant des finances Fouquet, lui-même grand amateur de théâtre, favorisa les arts de la scène ; notamment en faisant des différentes résidences royales — le Louvre mais aussi Fontainebleau, Saint-Germain, Chambord et Versailles — des lieux de représentations. La chronologie des comédies-ballets de Molière correspond à celle des fêtes de cour. Mais c'est de fait toute la carrière de cet auteur qui s'inscrit dans le sillage du roi.

2. *La situation intellectuelle*

Au début du XVIIe siècle, l'auteur du texte que l'on représentait n'était considéré que comme l'un de ceux qui permettaient à un spectacle d'exister. Poète à gages, il se contentait donc, en fait de droits d'auteur, d'une part de la recette. La situation évolua considérablement par la suite, mais le lien qui s'était établi entre ceux qui rédigeaient les textes et ceux qui leur donnaient vie ne s'est jamais rompu. Corneille ou Racine ont eu avec les gens du spectacle des rapports, aventures amoureuses avec les actrices comprises, qui prouvent combien ils étaient liés au déroulement de leur carrière de dramaturge. Molière offre, à cet égard, le cas de figure le plus intéressant. D'une part, en effet, il multiplie les efforts qui doivent à ses yeux, par-delà le succès immédiat, lui assurer la postérité, en l'occurrence lui conférer un statut d'auteur ; témoin l'acharnement qu'il met à préparer une édition de ses œuvres qui, en fait, ne paraît que neuf ans après sa mort. D'autre part, il est l'homme de théâtre le plus complet de son époque, puisque en lui cohabitent, en même temps qu'un écrivain, un chef de troupe, un metteur en scène et un acteur. Celui qui est un des plus grands écrivains du XVIIe siècle est aussi considéré — et se considère lui-même — comme l'émule des Béjart — Madeleine, Geneviève, et Armande, Joseph et Louis —, d'un Gros-Guillaume ou d'un Gaultier-Garguille — dans le registre comique — et, dans le registre tragique, qui l'attira au début de sa carrière, de Montdory ou de Bellerose, qui sont, en la matière, les grands noms de l'époque.

De plus, le théâtre occupe une place de choix dans la réflexion théorique. De 1630 à 1640, on définit ce que l'on devait par la suite appeler le théâtre classique ; et Boileau, en 1674, en consacrant au genre plus de la moitié du chant III de son *Art poétique*, fait le bilan. Certains de ces débats débouchent sur des querelles : celle du *Cid*, celle de *Phèdre*, qui ont éclaté à une cinquantaine d'années de distance, sont les plus célèbres.

3. *La situation morale*

L'attitude de l'Église, alors détentrice de la morale, est ambiguë. Certains auteurs peuvent échapper à la censure, ceux qui écrivent des comédies peuvent même être considérés comme nécessaires dès lors qu'ils prétendent, avec plus ou moins de sincérité, souscrire à la formule *Imago veritatis castigat ridendo mores*, «L'image de la vérité châtie les mœurs en riant». Mais acteurs et actrices, sans être excommuniés, se voient parfois refuser un des sacrements, notamment l'extrême-onction. Tout dépend en général de l'attitude du roi à l'égard du théâtre, devant laquelle on tend, bon gré mal gré, à s'incliner. Mais les membres du clergé peuvent aller à l'encontre des suggestions royales, que celles-ci soient favorables au théâtre, comme c'est le cas sous Louis XIII et dans la première partie du règne de Louis XIV, ou qu'elles lui soient défavorables, comme c'est le cas à partir du moment où Mme de Maintenon s'impatronise à la cour. Les difficultés rencontrées par Molière sont, sur ce point encore, instructives. D'abord victime de la «conversion» de son ancien protecteur, le prince de Conti, il se heurte, au moment où il écrit *Tartuffe*, à une cabale des dévots dont le roi ne sait d'abord venir à bout et, s'il fut enterré chrétiennement, son corps ne fut enseveli que de nuit, le prêtre appelé à son chevet pour recevoir sa renonciation au métier d'acteur, condition nécessaire à une réconciliation avec l'Église, ayant refusé de se déplacer.

On ne saurait nier cependant qu'au total le théâtre a joui au XVIIe siècle d'un statut qui, dès 1635, permettait à Corneille de faire dire à Alcandre, le magicien de *L'illusion comique* :

> À présent le Théâtre
> Est en un point si haut que chacun l'idolâtre
> Et ce que votre temps voyait avec mépris
> Est aujourd'hui l'amour de tous les bons esprits
> [...]
> Le Théâtre est un fief dont les rentes sont bonnes.

2.

La comédie

Aujourd'hui encore « comédien » et « comédie »
peuvent avoir un sens générique. « Comédiens » est synonyme d'« acteurs », sans distinction
de registre. Même remarque pour l'expression
« jouer la comédie » et pour le nom de certains
théâtres, dont, notamment, la Comédie-Française,
créée en 1680 par la fusion de la troupe de Molière
et de celle de l'Hôtel de Bourgogne. Mais on appelle
aussi « comédie » une pièce de forme et de contenu
spécifiques qui s'oppose à la « tragédie » et à tout
autre texte écrit pour la scène.

1. *Un genre en pleine évolution*

On ne saurait certes dire que l'uniformité est ce
qui caractérise, au XVIIe siècle, la tragédie. Témoin la
place occupée par des formules nouvelles, comme
celle qui est à l'œuvre dans la tragi-comédie, dont
les contours sont du reste mal définis. Témoin
encore, à l'intérieur même du genre, les écarts auxquels donnent alors lieu le respect ou le mépris de
certaines règles. Mais l'existence de la célèbre défi-
nition de la tragédie que contient la *Poétique* d'Aristote, philosophe grec du IVe siècle avant Jésus-Christ,
à qui, le plus souvent à tort, on attribue ces règles, et
les débats qu'elle suscite font que l'on peut parler
d'un genre plus ou moins unifié.

Il n'en va pas de même pour la comédie. Soit
qu'Aristote ait considéré, comme beaucoup de théo-

riciens qui lui ont succédé, que, dans l'ensemble, ce qui valait pour la tragédie valait pour la comédie, soit qu'il se soit proposé de traiter de ce genre dans un second livre qui n'a pas abouti ou qui s'est perdu, il ne nous en dit pas grand-chose. Ce qu'il se contente de signaler, c'est que, alors que les personnages de la tragédie sont « nobles », ceux de la comédie sont « bas », sans que la comédie « couvre […] toute la bassesse », car, poursuit-il, « le comique consiste en un défaut ou une laideur qui ne causent ni douleur ni destruction ». À quoi fait écho la remarque de Corneille qui écrit dans son *Discours de l'utilité et des parties du poème dramatique* que la comédie « s'arrête à une action commune et enjouée » et que, loin de demander, comme la tragédie, « de grands périls pour ses héros », elle « se contente de l'inquiétude et des déplaisirs de ceux à qui elle donne le premier rang parmi ses acteurs ».

Le manque de base théorique n'empêche cependant pas que l'on assiste, au XVIIe siècle, au triomphe progressif de la comédie. Alors qu'au début du siècle la comédie ne représentait que 7 % de la production dramatique, elle atteint les 51 % à l'époque de Molière, qui apparaît dès lors comme le principal artisan de ce succès.

2. *Les diverses facettes du genre*

Les formules qui sont alors à la disposition des créateurs et qu'ils fixent en les perfectionnant sont nombreuses.

La **farce** est présente dans la rue, et très précisément sur le Pont-Neuf, où l'on voyait Tabarin, mais aussi dans les salles, notamment à l'Hôtel de Bourgogne, où officiaient Gros-Guillaume ou Turlupin. C'est que la farce française s'insère dans une longue tradition. Né en Grèce, où il est enrichi par l'apport d'Aristophane (445-386 av. J.C.), le genre a aussi triomphé à Rome, notamment avec Plaute (254-184 av. J.C.), et a prospéré à la fin du Moyen Âge. Empruntant ses personnages et ses situations à la vie quotidienne tout en procédant à leur schématisation, la farce, qui recourt au geste autant qu'à la parole, se caractérise par une grossièreté qui, loin d'être toujours gratuite, a souvent une portée satirique.

Une attitude semblable est adoptée dans la *commedia dell'arte*, forme théâtrale qui, née en Italie au milieu du XVIe siècle, est accueillie en France à partir de 1570, d'abord à la cour, puis en ville. Car le texte, qui est en grande partie improvisé par les acteurs, sur un canevas donné qui met en scène des personnages stéréotypés et portant des masques, n'est pas censé être compris par un public qui ne parle pas italien.

On ne sait quel est, de ces différents courants, celui qui a le plus influencé Molière. Il ne faut cependant pas oublier qu'il partagea, un temps, le Petit-Bourbon avec la troupe de Locatelli, dont la vedette est Fiorilli, *alias* Scaramouche.

Ce qui est certain, c'est que les onze farces qu'il a composées constituent un tiers de son œuvre et qu'elles se répartissent sur l'ensemble de sa carrière.

On ne saurait non plus passer sous silence, bien que le théâtre de Molière n'en porte aucune trace, les **variantes de la farce** que représentent d'une part un vaudeville scabreux comme *Les Galanteries du duc d'Ossone*, que l'on doit à Mairet, par ailleurs auteur de tragi-comédies pastorales, et d'une authentique tragédie (*Sophonisbe*), d'autre part les comédies burlesques (comme *Jodelet ou le maître valet* de Scarron) ou libertines (comme *Le Pédant joué* de Cyrano de Bergerac).

Mais le gros rire qui triomphe dans la farce n'épuise pas le registre comique. Le sourire y a aussi sa place. À cette catégorie de la **comédie sérieuse**, qui regroupe diverses formules, notamment celles qui aboutissent à la comédie romanesque ou à la comédie de mœurs, ressortissent, entre autres, certaines œuvres de Rotrou (1609-1650) et les premières pièces de Corneille (de *Mélite* à *La Suite du Menteur*).

Et dans ce domaine aussi les modèles abondent. De même qu'ils avaient eu Aristophane, les Grecs ont en effet eu Ménandre (342-292 av. J.C.) ; de même qu'ils avaient eu Plaute, les Romains ont eu Térence (190-159 av. J.C.), autrement dit des auteurs qui, sans renoncer à la liberté des propos et à la fantaisie, évitaient la grossièreté proprement dite. De même la *commedia dell'arte* a pour pendant une comédie plus sérieuse et même parfois érudite. Quant aux dramaturges du Siècle d'Or espagnol dont le plus célèbre est Lope de Vega (1562-1635), ils ignorent la séparation des genres : la *comedia* intègre en effet à une intrigue qui a tout à voir avec la tragédie des éléments comiques qui détendent l'atmosphère en côtoyant la farce.

Il est difficile de dire — l'Antiquité mise à part — quel est, de ces divers courants, celui auquel se rattacherait le plus volontiers Molière pour la partie de son œuvre qui relève de la comédie sérieuse. Moins à celui qui vient d'Espagne sans aucun doute qu'à celui qui vient d'Italie : lors même qu'il emprunte le mythe de Dom Juan, que le XVIIe espagnol vient de créer, et même si le bouffon Sganarelle tient du *gracioso* de Tirso de Molina, c'est en effet l'Italie qui sert de relais. Au demeurant, une grande partie du théâtre de Molière peut être rangée dans la catégorie de la comédie sérieuse, qui, à ses yeux, inclut la comédie héroïque, variante de la tragi-comédie, qu'il met en œuvre dans *Dom Garcie de Navarre*.

C'est de l'Antiquité que Molière se réclame lorsqu'il met au point la **comédie-ballet**, genre dans lequel, dit-il en substance dans l'« Avertissement » des *Fâcheux*, se réalise la synthèse des trois langages que sont le texte littéraire, la musique et la danse. Mais il aurait pu tout aussi bien évoquer la *commedia dell'arte*, qu'« ornaient » également la danse et le chant ou l'opéra, autre spectacle total, né en Italie au début du siècle.

Non content de se faire le théoricien du genre, Molière l'a pratiqué une bonne douzaine de fois. C'est qu'il permettait au bon serviteur de la cour qu'il entendait être d'intégrer à la création théâtrale, qui lui tenait, elle aussi, à cœur, une activité qui y faisait fureur et pour laquelle Louis XIV avait une prédilection. Mais ce qui fit de lui le véritable créateur du genre, c'est qu'il en multiplia les formules. Tantôt en effet il est resté fidèle à la tradition, se contentant de greffer un ballet sur une banale pastorale, tantôt il l'a ajouté à une pièce plus substantielle, que celle-ci se présente comme une œuvre courtisane ou comme une pièce à machines, tantôt il l'a intégré à la farce, voire à une authentique comédie de mœurs.

L'écrivain
à sa table de travail

Le sérieux, le satirique
et le ludique

LES PIÈCES ÉCRITES par Molière durant l'année 1668, particulièrement riche, rendent en grande partie compte de cette diversité. Il donne en effet, le 13 janvier, au Palais-Royal, *Amphitryon*, une comédie poétique et galante, le 18 juillet devant la cour, à Versailles, et le 9 novembre au Palais-Royal, *George Dandin ou le mari confondu*, une farce satirique mêlée à une comédie pastorale, et enfin, le 9 septembre, au Palais-Royal, une grande comédie, *L'Avare*.

1.

Accueil d'hier et d'aujourd'hui

L'*Avare* est une pièce de la maturité. Et c'est bien ce qui peut expliquer le succès que, depuis la fin du XVIIIe siècle, elle ne cesse de remporter dans la vie théâtrale comme dans les programmes scolaires. Depuis la création de la Comédie-Française, elle occupe, après *Tartuffe*, la seconde place dans son répertoire. Elle a attiré les acteurs et les metteurs en scène les plus connus, de Coquelin Cadet, grand nom du théâtre de la fin du XIXe siècle, à Michel Serrault, Jean Vilar ou Roger Planchon. Elle s'impose, à côté du *Cid* et d'*Andromaque*, comme une des meilleures illustrations du théâtre classique.

Rien pourtant, au départ, ne laissait présager une telle carrière. Boudée par le public et mollement défendue par les gazetiers, la pièce ne tint guère l'affiche.

C'est que rédiger en prose — et non en vers — une œuvre qui, comportant cinq actes, se rangeait dans la catégorie des grandes comédies tenait de la gageure. Témoin le sort subi par *Dom Juan*, qui ne dut sa survie qu'à la version versifiée — et, certes, corrigée — qu'en donna en 1677 Thomas Corneille, le texte original n'ayant été ressuscité qu'au XIXe siècle.

D'autres hardiesses peuvent cependant expliquer le demi-échec de *L'Avare*. L'une est d'ordre moral. Sans partager l'indignation dont Jean-Jacques Rousseau devait, au siècle suivant, faire preuve, les spectateurs de 1668 ont pu être choqués par la violence du conflit qui oppose le père et le fils. L'autre est d'ordre technique. On peut reprocher à Molière de ne pas avoir appliqué la règle de l'unité d'action. Quatre intrigues sont successivement ou simultanément menées dans la pièce. Il s'agit d'abord de savoir si Élise et Mariane épouseront les jeunes gens qu'elles aiment, Valère et Cléante, ou les personnes âgées qu'Harpagon leur destine, Anselme et lui-même. Mais l'attention est aussi attirée sur les rapports que l'avare entretient avec ses domestiques. Sans compter que la rivalité, amoureuse et financière, qui oppose père et fils, et le vol de la cassette ont une telle autonomie que l'on peut hésiter à les considérer comme simples circonstances de l'intrigue matrimoniale ou de celle qui traite de la vie de la maisonnée. On peut aussi critiquer le dénouement et voir dans les retrouvailles qui permettent à la famille du seigneur Anselme de se reconstituer l'effet d'un *deus ex machina* des plus invraisemblables.

2.

Les sources

Molière venait de s'inspirer de l'*Amphitruo* de Plaute pour raconter à son tour la célèbre légende concernant la naissance d'Héraklès. Il avait donc certainement lu, dans sa version originale ou dans celle qu'avait procurée en français, dix ans plus tôt, l'abbé de Marolles, traducteur de l'œuvre de Plaute, la pièce qui avait pour titre l'*Aulularia* (*La Marmite*). S'il doit à Marolles le titre qu'il donne à sa comédie — le traducteur a en effet préféré *L'Avaricieux* —, il doit à Plaute lui-même non seulement son sujet mais encore la structure de certaines de ses scènes, et même certaines des formulations auxquelles il a recours.

Face à de telles similitudes, qui sont loin d'altérer l'originalité de Molière, les rapprochements auxquels on peut ponctuellement procéder entre *L'Avare* et d'autres pièces, françaises ou italiennes, ne présentent qu'un intérêt mineur.

3.

Un portrait spécifique de l'avarice

Molière n'est pas un moralisateur. On voit mal en effet comment on pourrait, au contact de cette pièce, se défaire d'une manie dont le héros, à en croire les dernières paroles qu'il prononce, ne se guérit pas lui-même. Mais c'est un moraliste, autrement dit un écrivain qui peint la nature humaine et les mœurs. Et ce qu'il peint, ici, c'est la folie qui s'empare d'un être humain lorsqu'il devient la proie d'une manie. Harpagon pense que l'argent est tout. C'est sur la nature et sur les conséquences de cette manie que Molière attire notre attention.

1. *Un riche grippe-sous*

L'Euclion de Plaute est pauvre. La découverte de la marmite pleine d'or que son grand-père a cachée dans sa cheminée est pour lui une aubaine. Il est normal qu'il craigne de perdre ce qu'il ne peut considérer que comme un avantage inespéré. Harpagon, lui, est riche. Bonne bourgeoisie oblige du reste, il a un carrosse et des serviteurs. Un valet et une servante certes — autrement dit des domestiques de la plus basse catégorie —, mais aussi un intendant, domestique de statut supérieur qui, dans une maison, supervise les divers services, un cuisinier et deux laquais, serviteurs dont la fonction était d'accompagner le maître de maison lorsqu'il sortait, et partant de participer d'une certaine ostentation. Mais Harpagon lésine sur les dépenses qu'un tel train de vie devrait entraîner. Il habille mal son personnel, il nourrit mal ses chevaux, il concentre entre les mains d'un seul, maître Jacques, les deux fonctions disparates de cocher et de cuisinier.

C'est que, non content de ne pas vouloir entamer sa fortune, Harpagon veut, dans sa cupidité, la faire fructifier. Et, pour ce faire, il pratique l'usure — et à des taux prohibitifs —, autrement dit le prêt à intérêt. L'escroquerie est encore aggravée du fait que l'emprunteur se voit proposer une partie de la somme demandée en nature, et non en espèces, et que tous les objets imposés proviennent sans doute de saisies opérées chez les insolvables ou des gages exigés lors de la transaction. Tous ces trafics demandent un personnel plus ou moins scrupuleux : un courtier, autrement dit un homme d'affaires qui, selon un dictionnaire de l'époque, « s'entremet pour faire des ventes, des prêts d'argent », et un notaire « choisi par le prêteur ».

On voit comment la comédie de caractère qui prend pour cible un ladre invétéré s'articule sur la comédie de mœurs, qui attire l'attention sur les défauts d'une société.

2. *Un père de famille dénaturé*

C'est l'avarice d'Harpagon qui donne son originalité à la façon dont Molière exploite le thème, au demeurant traditionnel sous sa plume, des difficultés que les jeunes gens rencontrent pour faire triompher leur amour. Harpagon est en effet veuf d'une femme qui, elle aussi, avait du bien. Or cette fortune, qui doit plus tard revenir aux enfants issus de cette union, est alors entre ses mains. Et partant gérée comme la sienne. C'est parce qu'il est uniquement préoccupé par l'argent qu'il est inattentif à son entourage. Il n'a eu aucune connaissance de l'accident — au demeurant quelque peu invraisemblable — qui a permis à Valère de sauver Élise des eaux, puis de se faire engager comme intendant. C'est parce que le seigneur Anselme est prêt à épouser Élise « sans dot » que ce père dénaturé n'hésite pas à lui accorder sa main. Même négligence en ce qui concerne Cléante. De là la nécessité dans laquelle ce fils se trouve d'emprunter et sa tendance à devenir, sinon un mauvais sujet, du moins un mauvais fils : le mauvais fils d'un mauvais père. Car à tout mauvais père, mauvais fils. Ou plutôt mauvais enfants : Élise, elle aussi, a fait preuve de hardiesse en s'engageant secrètement avec Valère et est d'une insolence peu commune chez les jeunes filles du théâtre de Molière. L'attitude du futur gendre, qui, non content de dissimuler sa qualité d'amoureux et de se faire engager comme intendant, se conduit dans cette fonction en parfait flatteur, est, dès le début de la pièce, justifiée par le fait qu'Harpagon veut être flatté.

3. *Un amoureux regardant*

L'amour qu'Harpagon porte à Mariane a d'abord un intérêt dramatique puisque, en faisant du père le rival du fils, il complique des relations familiales déjà perturbées. Il permet aussi de peaufiner le portrait d'un vieux grigou. Nulle trace en effet chez lui de la générosité que l'on attend de la part d'un amoureux, surtout s'il est épris d'une personne qui est plus jeune que lui. Mieux, quand il envisage les

conditions du mariage, il ne confond pas enrichisse-
ment et absence d'appauvrissement. S'il s'abstient
de choisir une autre épouse, par exemple une riche
veuve, c'est certes parce qu'il est sincèrement amoureux de Mariane mais c'est aussi parce qu'il croit
pouvoir trouver en elle la gouvernante idéale, celle
qui tient la maison sans être payée. On en revient
donc toujours à la pingrerie, essentielle, d'Harpagon, qui se manifeste aussi dans la manière dont
il esquive la demande de Frosine. C'est pourquoi
Molière utilise tous les termes qui, des verbes « entasser », « ménager » ou « prêter » aux substantifs
« avare », « fesse-mathieu », « intérêt », « lésine » ou
« usure », en passant par les adjectifs « aride », « avaricieux » ou « serré » dépeignent la manie d'Harpagon ; c'est pourquoi il fait du terme « argent » le
mot-clef de sa pièce.

L'Avare ne manque donc pas d'unité. Mais, à la
traditionnelle règle de l'unité d'action, Molière substitue celle, plus souple, de l'unité d'intérêt. Autre
mérite : à la tragédie que tout — y compris l'ineffi-
cacité de l'aide apportée par les serviteurs aux
amoureux — semblait annoncer, il substitue une
authentique comédie dominée par le rire et le sourire.

4.

Le rire franc de la dénonciation

Molière s'est, à la création, attribué le rôle d'Harpagon. Or ce comédien, qui s'était formé
auprès des acteurs de la *commedia dell'arte*, joue tou-

jours le personnage ridicule : Monsieur Jourdain dans *Le Bourgeois gentilhomme*, Argan dans *Le Malade imaginaire*, mais aussi l'Alceste du *Misanthrope* ou Orgon et non pas Tartuffe de la pièce du même nom.

1. *Des personnages et une situation de farce*

Les noms pittoresques donnés à la plupart des personnages nous mettent sur la voie. Celui de La Flèche évoque la rapidité, Brindavoine est un sobriquet qui évoque une origine campagnarde. Le titre de « maître », qui est donné au courtier et au cuisinier-cocher, renvoie plus à la bonne opinion qu'ils ont d'eux-mêmes qu'au talent dont ils font réellement preuve ; ces termes sont donc employés ironiquement. Il en va de même pour dame Claude, encore qu'il soit dans l'usage, au XVIIe siècle, d'attribuer à une femme du peuple une qualification originellement réservée aux nobles. Le nom même d'Harpagon dérive du mot latin *harpago* qui signifie « harpon, grappin ».

Digne d'une farce est aussi l'aveuglement dont fait preuve le personnage, source des contradictions dans lesquelles le héros de la pièce s'enferme lorsqu'il n'hésite pas à donner pour époux à sa fille un vieillard, alors qu'il a du mal à se laisser persuader qu'il sera lui-même accepté par une jeune fille ou lorsqu'il trouve anormal que celle qu'il se destine n'apporte pas une dot qu'il trouve par ailleurs normal de ne pas donner à sa fille.

Enfin et surtout, si l'on côtoie le drame, la catastrophe est en définitive évitée : la famille est menacée mais non détruite.

2. *Les langages de la farce*

Avec ses quelque cent vingt indications scéniques (ou didascalies), *L'Avare* compte parmi les pièces de Molière les plus riches en jeux de scène. Les effets de ce **comique de gestes** les plus sûrs sont obtenus par les révérences qu'échangent père et fille, par la substitution d'une tenue à l'autre, par la bousculade qui provoque la chute d'Harpagon, par le soufflet destiné à La Flèche, par la bastonnade qu'Harpagon puis Valère infligent à maître Jacques ou encore par l'affrontement en forme de ballet qu'esquissent ces deux derniers personnages. Tout aussi parlants sont les jeux de physionomie, qui signalent une connivence, permettent à un personnage de donner une indication à un autre ou de suivre l'évolution des mimiques, par exemple de la gaieté à la sévérité. Plus subtilement utilisés sont cependant les gestes qui renvoient à un trait de caractère. Tel est celui qu'accomplit Harpagon lorsque, apparemment insensible à la tension qui règne, il s'empresse, par avarice, de souffler un chandelier.

Les gags les plus célèbres de cette pièce sont dans toutes les mémoires, formant un **comique de mots** inoubliable. Cela va du «sans dot», plusieurs fois répété, au «je suis assassiné, on m'a coupé la gorge», accompagné du fameux «Rends-moi mon argent, coquin…», suivi du désopilant «Ah! c'est moi», en passant par le «Montre-moi tes mains / Les voilà / Les autres / Les autres?». Mais il ne faut pas oublier les ressources qu'offre à Molière le langage codé qui permet à deux personnages d'utiliser les ambiguïtés de langage pour communiquer à l'insu d'un troisième, et le quiproquo. Le langage codé ? Songeons par exemple à la double interprétation que, à la scène 7 de l'acte III, Mariane et Harpagon donnent de la formule de Cléante : « le prendre comme il faudra », ou encore au « ce qu'il m'a dit ne m'a point du tout offensée » de Mariane, qui rassure Cléante alors qu'Harpagon ne comprend rien à ce qui se passe. Le quiproquo ? Songeons aux quarante-huit répliques auxquelles donne lieu, à la scène 3 de l'acte V, le jeu sur le mot « trésor ».

De fait, tous ces sketches ne sont pas de même nature : ils reposent sur deux procédés bien distincts qui consistent l'un à jouer *sur* les mots, l'autre à jouer *avec* les mots. Nous reviendrons sur cette distinction dans le paragraphe qui introduit le groupement de textes stylistique.

Dans le passage où Harpagon s'empresse de tâter le bas des chausses de son valet, dans celui où Harpagon et Élise se font la révérence, **le geste prolonge la parole**. Dans le passage où Cléante fait essayer à Mariane la bague d'Harpagon, la parole élucide un geste dont on ne perçoit pas d'abord le sens. Mais geste et parole se contredisent dans l'épisode du mouchoir. De quelque manière qu'il se déroule, le dialogue qui s'établit entre deux langages est source de comique. Il souligne aussi le lien qui existe entre style et dramaturgie.

Et, comme s'il voulait affirmer puis confirmer une appartenance au monde de la farce, Molière place à la fin de chaque acte, mis à part le dernier, une scène d'un comique appuyé.

5.

Le sourire discret de la réflexion

Molière, dans *L'Avare*, ne se contente pas de faire coexister comique et sérieux, ni même de faire surgir l'un de l'autre. Plus que *La Critique de L'École des femmes*, dont le propos est explicite, la pièce nous donne à réfléchir sur les différentes formes que peut prendre l'écriture théâtrale et sur le rapport que le théâtre entretient avec la réalité. Et tout cela est évoqué en termes de démystification. La démarche concerne la comédie galante, vers laquelle nous oriente le début de la pièce et qui, assez vite, se trouve ironiquement sacrifiée, et la comédie romanesque, qui est traitée d'une manière caricaturale au moment du dénouement. Mais elle concerne aussi ce qu'il est convenu d'appeler la comédie de caractère et la comédie de mœurs, car, s'il y a réalisme, il n'y a pas pure et simple copie de la réalité. Ce qui triomphe en définitive, c'est le rire euphorique, celui qui procède d'une conception ludique de l'écriture. Tant il est vrai que pour Molière, comme l'a si bien compris le critique René Bray, « le théâtre n'est pas un moyen mais une fin ». Tel est le message suprême de cette pièce protéiforme.

Bibliographie

René BRAY, *Molière homme de théâtre*, Mercure de France, 1954, rééd. 1992.

Patrick DANDREY, *Molière ou l'esthétique du ridicule*, Klincksieck, 1991.

Georges FORESTIER, *Molière en toutes lettres*, Bordas, 1990.

Groupement de textes thématique

L'avarice dans tous ses états

LES TROIS PREMIERS TEXTES peuvent, à des degrés divers, être considérés comme des sources de la pièce de Molière. Les problèmes de filiation mis à part, le thème de l'avarice est fréquemment traité dans l'Antiquité. « À quoi bon la fortune, s'il n'est pas permis d'y toucher ? » écrivait Horace (65-8 av. J.C.) dans ses *Épîtres*. « À quoi bon posséder fortune et royaumes sans pouvoir y toucher ? » écrivait Ovide (43 av. J.C.-17/18 ap. J.C.) dans ses *Métamorphoses*. Il est aussi très présent dans la littérature du XVIIᵉ siècle, témoins les trois textes suivants. Mais le thème de l'avarice est universel. C'est pourquoi, comme le montrent les deux derniers textes, on continue à le rencontrer dans la littérature bien au-delà du XVIIᵉ siècle.

PLAUTE (251-184 AV. J.-C.)
Aulularia

(*Comédies*, I, éd. Alfred Ernout, Les Belles Lettres)

Dans l'Aululariа, il s'agit, comme dans L'Avare, de savoir si un avare, Euclion, sauvera son magot et si Phédrie, sa fille, épousera Lyconide, celui dont elle attend

un enfant, ou son oncle, Mégadore. Et là aussi les deux
intrigues se combinent et se complètent. Certaines scènes
ont ici et là la même structure. La scène 3 de l'acte I
de L'Avare *trouve sa source dans la scène 1 de l'acte I de*
*l'*Aululuria, *où Euclion chasse sa servante Staphyla en la*
traitant d'«espionne», et dans la scène 4 de l'acte IV, où
il menace Strobile, le valet de Lyconide, qu'il a vu rôder
autour du lieu où il cache sa marmite. La scène 3 de
l'acte V, elle, rappelle la scène 10 de l'acte IV. Ici comme là
l'interrogatoire est faussé par un malentendu. Enfin, bien
des expressions employées par Molière semblent empruntées
à Plaute, notamment dans le fameux monologue.

Je suis perdu! je suis mort! je suis assassiné! Où
courir? où ne pas courir? arrêtez-le, arrêtez-le!
Mais qui? Et qui l'arrêtera? Je ne sais, je ne vois
rien, je vais en aveugle. Où vais-je, où suis-je, qui
suis-je, je ne sais plus, j'ai la tête perdue. Par pitié
vous autres, je vous en prie, je vous en supplie,
venez à mon secours : indiquez-moi l'homme qui
me l'a ravie. Que dis-tu toi? Je veux t'en croire : tu
as la figure d'un honnête homme. Qu'y a-t-il? pourquoi riez-vous? Je vous connais tous. Je sais que les
voleurs sont légion parmi vous; ils ont beau se cacher
sous des vêtements blanchis à la craie, et demeurer
sagement assis tout comme de braves gens... Hein,
quoi? personne ne l'a? Tu m'assassines. Dis-moi,
voyons : qui l'a? Tu ne sais pas? Ah, pauvre, pauvre
malheureux! je suis mort. C'en est fait, je suis
un homme perdu, au plus mal arrangé, tant cette
fatale journée m'apporte de larmes, de maux, de
chagrin, sans compter la faim et la pauvreté. Perdu,
ah oui, je le suis bien, et plus qu'aucun homme
au monde. Que me sert de vivre, à présent que j'ai
perdu tout cet or que je gardais avec tant de soin?
Je me privais du nécessaire, me refusant toute joie,
tout plaisir : et maintenant d'autres en profitent, et
se gaussent de mon malheur et de ma ruine. Non,
je n'y résisterai pas. (IV, 9.)

Pierre de LARIVEY (1540-1619)
Les Esprits (1579)
(Éd. J.M. Freeman, Droz)

Celui qui est considéré comme l'un des créateurs de la comédie en France s'est en fait illustré dans la traduction libre des comédies italiennes de son temps. Avec Les Esprits, *pièce publiée dans le premier recueil de six comédies paru en 1579, il suit de très près l'*Aridosia *du jeune duc de Florence, Lorenzo de Médicis, elle-même imitée de l'*Aulularia. *Dans ce monologue, Séverin, qui est l'équivalent d'Euclion et que l'on a pu considérer comme l'un des modèles d'Harpagon, vient reprendre la bourse qu'il a déposée dans le creux d'un mur et la retrouve pleine de cailloux.*

Ô m'amour, t'es-tu bien portée ? Jésus ! qu'elle est légère ! Vierge Marie ! qu'est-ce ici qu'on a mis dedans ? Hélas ! je suis détruit, je suis perdu, je suis ruiné. Au voleur ! au larron ! au larron ! prenez-le ! arrêtez tous ceux qui passent, fermez les portes, les huis, les fenêtres. Misérable que je suis ! où cours-je ? À qui le dis-je ? Je ne sais où je suis, ce que je fais ni où je vas. Hélas ! mes amis, je me recommande à vous tous. Secourez-moi, je vous prie ! je suis mort, je suis perdu. Enseignez-moi qui m'a dérobé mon âme, ma vie, mon cœur, et toute mon espérance. Que n'ai-je un licol pour me pendre ? car j'aime mieux mourir que de vivre ainsi. Hélas ! elle est toute vide. Vrai Dieu ! qui est ce cruel qui tout à un coup m'a ravi mes biens, mon honneur et ma vie ? Ah ! chétif que je suis, que ce jour m'a été malencontreux ! À quoi veux-je plus vivre, puisque j'ai perdu mes écus, que j'avais si soigneusement amassés, et que j'aimais et tenais plus chers que mes propres yeux ? mes écus, que j'avais épargnés, retirant le pain de ma bouche, n'osant manger mon soûl ! et qu'un autre jouit maintenant de mon mal et de mon dommage ! […] Il est vrai (aussi bien ne faisons-nous rien ici), car encor que quelqu'un de ceux-là les eût, il ne les rendrait jamais. Jésus ! qu'il y a de larrons en Paris. (III, 6)

François de BOISROBERT (1589-1662)
La Belle Plaideuse

(E. Fournier, *Le Théâtre français au XVI*
et au XVII siècle)

La Belle Plaideuse, une des comédies les plus réussies de François Le Métel seigneur de Boisrobert (1589-1662), plus apte à évoluer dans le monde du comique que dans un univers sérieux, est, à bien des égards, proche de L'Avare. *Certes, ce qui différencie la pièce de Boisrobert de celle de Molière, c'est l'impact qu'ont ici les deux femmes. Si Isabelle, fille de l'avare Amidor, est l'artisan de la réconciliation qui doit avoir lieu entre ce père et son fils Ergaste, Corinne, qu'aime Ergaste, entreprend d'apparaître comme une bru intéressante en se faisant passer pour une riche comtesse de Bretagne. Mais, outre que les objets qui, dans la scène 1 de l'acte II de* L'Avare, *rappellent le bric-à-brac qui constitue le prêt en nature proposé par Harpagon, les deux premières scènes de l'acte II et même une partie de la scène 4 de l'acte I de la pièce de Molière pourraient bien trouver leur origine dans la scène 8 du premier acte de celle de Boisrobert. Les scènes 4 et suivantes du même acte nous ont appris que Philipin, le valet, a découvert un usurier qui prête à un intérêt exorbitant (au denier dix) ; le notaire Barquet met Ergaste en présence de l'usurier qui, de son côté, l'a prié de lui trouver un bon placement. Tallemant des Réaux, dont les* Historiettes *rapportaient toutes les anecdotes de l'époque — mais l'ouvrage ne fut publié qu'au XIXᵉ siècle ! — révèle que le président de Bercy et son fils avaient vécu pareille mésaventure.*

BARQUET

Il sort de mon étude.
Parlez-lui.

ERGASTE

Quoi ! c'est là celui qui fait le prêt ?

BARQUET

Oui, Monsieur.

AMIDOR

Quoi ? c'est là ce payeur d'intérêt ?
Quoi ! c'est donc toi, méchant filou, traîne-potence ?
C'est en vain que ton œil évite ma présence,
Je t'ai vu…

PHILIPIN

Nous voilà bien chanceux !

BARQUET

La plaisante aventure !

ERGASTE

Quoi ! Jusques à ton sang étendre son usure ?

BARQUET

Laissons-les.

AMIDOR

Débauché, traître, infâme, vaurien !
Je me retranche tout pour t'assurer du bien :
J'épargne, je ménage, et mon fonds, que j'augmente,
Tous les ans, pour le moins, de mille francs de rente,
N'est que pour t'élever sur ta condition ;
Mais tu secondes mal ma bonne intention,
Je prends pour un ingrat un soin fort inutile :
Il dissipe en un jour plus qu'on n'épargne en mille,
Et par son imprudence et par sa lâcheté,
Détruit le doux espoir dont je m'étais flatté.

ERGASTE

À quoi diable me sert une épargne si folle,
Si ce qu'on prête ailleurs, je sens qu'on me le vole,
Moi qui vivrais en roi des usures qu'on perd
Et des écus moisis que l'on met à couvert ?
Quand j'aurai grand plaisir des grands que l'on me
    garde,
Quand je serai sans dents, moi que chacun nasarde,
Moi qui vis misérable et n'ai pas de crédit
Pour un pauvre repas ou pour un pauvre habit.

(I, 8)

Jean de LA FONTAINE (1621-1695)

Fables

(Folio classique n° 2246)

*De l'avare, assimilé dans « L'homme qui court après la
Fortune et l'homme qui l'attend dans son lit » (VII, 12) à
« l'Ambitieux » qui « s'en va par voie et par chemin », « Le
trésor et les deux hommes » (IX, 16) dit que « rarement [il]
finit ses jours sans pleurs » et qu'« Il a le moins de part au
trésor qu'il enserre / Thésaurisant pour les voleurs / Pour
ses parents ou pour la terre ». Quant à l'avarice, c'est
dans les fables 20 du livre IV et 27 du livre VIII, inspirées
par Ésope, qu'elle est évoquée avec le plus de précision.*

L'Avare qui a perdu son trésor

L'usage rarement fait la possession.
Je demande à ces gens de qui la passion
Est d'entasser toujours, mettre somme sur somme,
Quel avantage ils ont que n'ait pas un autre homme.
Diogène là-bas est aussi riche qu'eux,
Et l'avare ici-haut comme lui vit en gueux.
L'homme au trésor caché qu'Ésope nous propose
        Servira d'exemple à la chose.
        Ce malheureux attendait

Pour jouir de son bien une seconde vie ;
Ne possédait pas l'or, mais l'or le possédait.
Il avait dans la terre une somme enfouie,
Son cœur avec, n'ayant autre déduit
    Que d'y ruminer jour et nuit
Et rendre sa chevance à lui-même sacrée.
Qu'il allât ou qu'il vînt, qu'il bût ou qu'il mangeât,
On l'eût pris de bien court, à moins qu'il ne songeât
À l'endroit où gisait cette somme enterrée.
Il y fit tant de tours qu'un fossoyeur le vit,
Se douta du dépôt, l'enleva sans rien dire.
Notre avare un beau jour ne trouva que le nid.
Voilà mon homme aux pleurs ; il gémit, il soupire.
    Il se tourmente, il se déchire.
Un passant lui demande à quel sujet ses cris.
    « C'est mon trésor que l'on m'a pris.
— Votre trésor ? Où pris ? — Tout joignant cette
  pierre.
      — Eh ! sommes-nous en temps de guerre
Pour l'apporter si loin ? N'eussiez-vous pas mieux
  fait
De le laisser chez vous en votre cabinet,
    Que de le changer de demeure ?
Vous auriez pu sans peine y puiser à toute heure.
— À toute heure ? bons dieux ! Ne tient-il qu'à cela ?
    L'argent vient-il comme il s'en va ?
Je n'y touchais jamais. — Dites-moi donc de grâce,
Reprit l'autre, pourquoi vous vous affligez tant,
Puisque vous ne touchiez jamais à cet argent :
    Mettez une pierre à la place
    Elle vous vaudra tout autant. (IV, 20)

Le loup et le chasseur

Fureur d'accumuler, monstre de qui les yeux
Regardent comme un point tous les bienfaits des
  dieux,
Te combattrai-je en vain sans cesse en cet ouvrage ?
Quel temps demandes-tu pour suivre mes leçons ?
L'homme, sourd à ma voix comme à celle du sage,

Ne dira-t-il jamais : « C'est assez, jouissons » ?
Hâte-toi, mon ami. Tu n'as pas tant à vivre.
Je te rebats ce mot ; car il faut tout un livre.
Jouis. — Je le ferai. — Mais quand donc ? — Dès
    demain.
    — Eh ! mon ami, la mort te peut prendre en che-
    min.
Jouis dès aujourd'hui : redoute un sort sem-
    blable
À celui du chasseur et du loup de ma fable.
Le premier, de son arc, avait mis bas un daim.
Un faon de biche passe, et le voilà soudain
Compagnon du défunt. Tous deux gisent sur
    l'herbe.
La proie était honnête : un daim avec un faon ;
Tout modeste chasseur en eût été content.
Cependant un sanglier, monstre énorme et superbe,
Tente encor notre archer, friand de tels morceaux.
Autre habitant du Styx : la Parque et ses ciseaux
Avec peine y mordaient ; la déesse infernale
Reprit à plusieurs fois l'heure au monstre fatale.
De la force du coup pourtant il s'abattit.
C'était assez de biens ; mais quoi ! rien ne remplit
Les vastes appétits d'un faiseur de conquêtes.
Dans le temps que le porc revient à soi, l'archer
Voit le long d'un sillon une perdrix marcher,
       Surcroît chétif aux autres têtes.
De son arc toutefois il bande les ressorts.
Le sanglier, rappelant les restes de sa vie,
Vient à lui, le découd, meurt vengé sur son corps ;
       Et la perdrix le remercie.
Cette part du récit s'adresse aux convoiteux ;
L'avare aura pour lui le reste de l'exemple.
Un loup vit en passant ce spectacle piteux.
« Ô Fortune, dit-il, je te promets un temple,
Quatre corps étendus ! que de biens ! Mais pourtant
Il faut les ménager, ces rencontres sont rares. »
       (Ainsi s'excusent les avares.)
« J'en aurai, dit le loup, pour un mois, pour autant.

Un, deux, trois, quatre corps, ce sont quatre
    semaines,
            Si je sais compter, toutes pleines.
Commençons dans deux jours ; et mangeons cepen-
    dant
La corde de cet arc : il faut que l'on l'ait faite
De vrai boyau, l'odeur me le témoigne assez. »
            En disant ces mots il se jette
Sur l'arc qui se détend, et fait de la sagette
Un nouveau mort ; mon loup a les boyaux percés.
Je reviens à mon texte : il faut que l'on jouisse ;
Témoin ces deux gloutons punis d'un sort commun ;
            La convoitise perdit l'un ;
            L'autre perdit par avarice.   (VIII, 27)

Nicolas BOILEAU (1636-1711)

Satires (1660-1711)

(Éd. Charles-H. Boudhors, Les Belles Lettres)

*Boileau, qui, dans sa satire VIII, devait présenter l'ava-
rice comme un des « rois » qui, avec « l'ambition, l'amour
[…] ou la haine », dominent celui qui se considère comme
« le roi des animaux » (comprenez, l'homme !), attaque
violemment ce défaut, en des vers dont les deux tiers sont,
du moins dans cette première version, inspirés d'Horace.*

Un avare idolâtre, et fou de son argent,
Rencontrant la disette au sein de l'abondance,
Appelle sa folie une rare prudence,
Et met toute sa gloire, et son souverain bien,
À grossir un trésor qui ne lui sert de rien.
Dites-moi, pauvre esprit, âme basse et vénale,
Ne vous souvient-il plus du tourment de Tantale,
Qui dans le triste état où le sort l'a réduit,
Meurt de soif au milieu d'un fleuve qui le fuit ?
Vous riez : savez-vous que c'est votre peinture,
Et que c'est vous par là que la fable figure ?

Chargé d'or et d'argent, loin de vous en servir,
Vous brûlez d'une soif qu'on ne peut assouvir ;
Vous nagez dans les biens ; mais votre âme altérée
Se fait de sa richesse une chose sacrée ;
Et tous ces vains trésors que vous allez cacher
Sont pour vous un dépôt où vous n'osez toucher,
Quoi donc ? De votre argent ignorez-vous l'usage ?
                                        (IV, vers 60-77)

Alain-René LESAGE (1668-1747)

Le Diable boiteux (1707)

(Folio classique n° 1591)

*Dans ce roman satirique et à clefs, que Lesage tira
d'une nouvelle espagnole de Vélez de Guevara (1579-
1644) éditée en 1641 et qu'il publia en 1707, le démon
Asmodée emporte dans les airs don Cleofas Leandro Perez
Zambullo et soulève pour lui les toits de Madrid. Le diable
boiteux va rendre « utile » cet « amusement frivole ». Il
désire, dit-il, lui donner « une parfaite connaissance de la
vie humaine » et, pour ce faire, lui « expliquer ce que font
toutes ces personnes qu[il] voi[t], [lui] découvrir les
motifs de leurs actions et [lui] révéler jusqu'à leurs plus
secrètes pensées ».*

Par où commencerons-nous ? Observons d'abord
dans cette maison à ma droite ce vieillard qui
compte de l'or et de l'argent. C'est un bourgeois
avare. Son carrosse, qu'il a eu presque pour rien à
l'inventaire d'un *alcade de corte* [haut magistrat du
Conseil de Castille], est tiré par deux mauvaises
mules qui sont dans son écurie, et qu'il nourrit suivant la loi des douze tables, c'est-à-dire qu'il leur
donne tous les jours à chacune une livre d'orge.
Il les traite comme les Romains traitaient leurs
esclaves. Il y a deux ans qu'il est revenu des Indes,
chargé d'une grande quantité de lingots, qu'il a

changés en espèces. Admirez ce vieux fou ; avec quelle satisfaction il parcourt des yeux ses richesses. Il ne peut s'en rassasier. Mais prenez garde en même temps à ce qui se passe dans une petite salle de la même maison. Y remarquez-vous deux jeunes garçons avec une vieille femme ? — Oui, répondit Cleofas. Ce sont apparemment ses enfants ? — Non, reprit le Diable, ce sont ses neveux qui doivent en hériter, et qui, dans l'impatience où ils sont de partager ses dépouilles, ont fait venir secrètement une sorcière pour savoir d'elle quand il mourra.

Honoré de BALZAC (1799-1850)

Eugénie Grandet (1833)

(Folio classique n° 3217)

La deuxième et la plus importante des « Scènes de la vie de province », Eugénie Grandet, a été publiée en 1833. Ce roman, qui, comme son titre l'indique, raconte la vie d'une femme, offre aussi un bel exemple de monomanie. À son avare, Balzac donne tous les traits que lui a conférés la tradition. « La vue de l'or, la possession de l'or », qu'il vient, dans son cabinet, « choyer, caresser, couver, cuver, cercler », est sa seule passion ; il aime sa fille parce qu'elle est son « héritière » ; et il voit dans la faillite « l'action la plus déshonorante entre toutes celles qui peuvent déshonorer l'homme ». Mais cette avarice a pour double originalité d'être aux couleurs du siècle et d'être acceptée, voire adoptée, par l'entourage. L'image que Balzac offre ici du monde est celle, pessimiste, d'un monde déshumanisé.

Financièrement parlant, monsieur Grandet tenait du tigre et du boa : il savait se coucher, se blottir, envisager longtemps sa proie, sauter dessus ; puis il ouvrait la gueule de sa bourse, y engloutissait une charge d'écus, et se couchait tranquillement, comme le serpent qui digère, impassible, froid, méthodique. Personne ne le voyait passer sans éprouver un sentiment d'admiration mélangé de respect et de terreur. Chacun dans Saumur n'avait-il pas senti le déchirement poli de ses griffes d'acier ? à celui-ci maître Cruchot avait procuré l'argent nécessaire à l'achat d'un domaine mais à onze pour cent ; à celui-là monsieur Grassins avait escompté des traites, mais avec un effroyable prélèvement d'intérêts. Il s'écoulait peu de jours sans que le nom de monsieur Grandet fût prononcé soit au marché, soit pendant les soirées dans les conversations de la ville. Pour quelques personnes, la fortune du vieux vigneron était l'objet d'un orgueil patriotique. Aussi plus d'un négociant, plus d'un aubergiste disait-il aux étrangers avec un certain contentement : « Monsieur, nous avons ici deux ou trois maisons millionnaires ; mais quant à monsieur Grandet, il ne connaît pas lui-même sa fortune ! » En 1816 les plus habiles calculateurs de Saumur estimaient les biens territoriaux du bonhomme à près de quatre millions ; mais comme, terme moyen, il avait dû tirer par an, depuis 1793 jusqu'en 1817, cent mille francs de ses propriétés, il était présumable qu'il possédait en argent une somme presque égale à celle de ses biens-fonds. Aussi, lorsqu'après une partie de boston, ou quelque entretien sur les vignes, on venait à parler de monsieur Grandet, les gens capables disaient-ils : — Le père Grandet ?... le père Grandet doit avoir cinq à six millions. — Vous êtes plus habile que je ne le suis, je n'ai jamais pu savoir le total, répondaient monsieur Cruchot ou monsieur des Grassins s'ils entendaient le propos. Quelque Parisien parlait-il des Rothschild ou de monsieur Laffitte, les gens de Saumur demandaient s'ils étaient aussi riches que monsieur Grandet. Si le Parisien leur jetait en souriant une dédaigneuse affirmation, ils se regardaient en hochant la tête d'un air d'incrédulité. Une si grande fortune couvrait d'un manteau d'or toutes les actions de cet homme. Si d'abord quelques particularités de sa vie donnèrent prise au ridicule et à la moquerie, la moquerie et le ridicule s'étaient usés. En ses moindres actes, monsieur Grandet avait pour lui l'autorité de la chose jugée. Sa parole, son vêtement, ses gestes, le clignement de ses yeux faisaient loi dans le pays, où chacun, après l'avoir étudié comme un naturaliste étudie les effets de l'instinct chez les animaux, avait pu reconnaître la profonde et muette sagesse de ses plus légers mouvements.

Confronter les textes

- Quels sont les éléments communs à tous ces textes qui permettent de camper le portrait d'un avare ?
- Relevez des variations dans la peinture de l'avarice qui rendent compte des lieux où se déroule l'action et de l'époque à laquelle chacun de ces textes a été écrit.
- Citez les passages qui, dans ces textes, relèvent du registre de la fantaisie et ceux qui relèvent de celui du sérieux.

Groupement de textes stylistique

La répétition

NOUS PARTIRONS DE LA DISTINCTION entre le comique qui provient du jeu *sur* les mots, qui comprend le quiproquo, le calembour et le jeu de mots et qui repose sur le sens des mots, et celui qui naît du jeu *avec* les mots, qui, selon le critique Robert Garapon est «dégagé des servitudes utilitaires de la signification et de la communication», ce qui ne veut pas dire qu'il ne sert à rien. Les procédés qui permettent de jouer *avec* les mots sont la répétition, l'utilisation du jargon, l'énumération et les incohérences. Le premier de ces procédés, que le philosophe Henri Bergson a défini comme «du mécanique plaqué sur du vivant», est celui qui est le plus fréquemment employé par Molière. Aux textes que nous citons, il faut notamment ajouter la scène 7 de l'acte II des *Fourberies de Scapin*. La répétition peut porter sur un mot — y compris un nom propre — ou sur une phrase. Elle peut concerner une seule réplique ou s'étaler sur plusieurs, voire conduire à un véritable ballet — surtout si elle est redoublée par une répétition de gestes —, impliquer un ou plusieurs personnages.

Edme BOURSAULT (1638-1701)

Le Portrait du peintre ou la contre-critique de L'École des Femmes

(Éditions Slatkine)

L'École des Femmes *ayant été attaquée dès sa création, en décembre 1662, Molière avait, en juin 1663, répondu en représentant* La Critique de L'École des Femmes. *Feignant de se reconnaître dans le pédant de cette pièce, Lysidas, Edme Boursault, poète et auteur dramatique, se range parmi les adversaires de Molière et écrit cette comédie qui, comme* La Critique, *ne comporte qu'un acte, mais est écrite, elle, en vers !*

LA RAMÉE, au comte

Je n'ai point vu de clef que la clef de la porte.

LE COMTE

Peste, le sot !

DAMIS

Sait-il ce que c'est que cela ?

LE COMTE

Je te jure, Baron, qu'elle est en ce lieu-là.

LA RAMÉE

Je gage que non.

LE COMTE

Paix !

DAMIS

Crois-moi, comte, allons, gage.

LE COMTE

L'un de nous deux, laquais, est un sot personnage.

LA RAMÉE

Ce n'est pas moi, Monsieur.

LE COMTE

Tais-toi donc, s'il te plaît,
La marquise l'a lue ; elle sait ce que c'est.

AMARANTE

Mais parlez de sa pièce et soyez équitable.
Que vous en semble ?

DORANTE

À moi ? Je la trouve admirable
Comment la trouves-tu, Comte ?

LE COMTE

Admirable.

DORANTE

Et vous ?

ORIANE

Admirabilissime.

AMARANTE

Entre nous ?

DORANTE

Entre nous.

AMARANTE

Mais là, sans vous trahir, la trouvez-vous passable ?

DORANTE

Admirable, morbleu ! du dernier admirable.

DAMIS

Je puis, sans l'avoir vue, en dire autant que toi.
Quand on loue une pièce, il faut dire pourquoi,
Et tu dois nous donner une raison valable.

DORANTE

Par plus de vingt raisons je la trouve admirable.

CLITIE

Par plus de trente.

DAMIS

Écoute, on le croit, si tu veux ;
Mais de tant de raisons j'en dirais une ou deux.

DORANTE

Te dirai-je pourquoi je la trouve admirable ?
Parce que cette pièce est admirable.

LE COMTE

Diable !
Ta raison est bonne.

CLITIE

Ah !

ORIANE

Je l'allais dire aussi.

DORANTE

Il s'en faut rapporter à Monsieur que voici :
C'est un auteur.

(Scène 7)

MOLIÈRE (1622-1673)

Le Tartuffe (1664)

(La bibliothèque Gallimard n° 54)

Dans les trois premières scènes de la pièce, nous avons appris à connaître Tartuffe, le sinistre personnage dont Orgon s'est entiché. La suivante Dorine, qui a déjà largement contribué à nous révéler la faiblesse de son maître et

qui a dénoncé le danger que cette étrange relation repré-
sente pour la famille, se complaît ici à poursuivre un récit
qui a pour fonction de mettre en valeur la passion qu'Or-
gon éprouve pour Tartuffe et l'indifférence dont il fait
preuve à l'égard de sa femme.

ORGON

Ah! mon frère, bonjour.

CLÉANTE

Je sortais, et j'ai joie à vous voir de retour.
La campagne à présent n'est pas beaucoup fleurie.

ORGON.

Dorine... Mon beau-frère, attendez, je vous prie :
Vous voulez bien souffrir, pour m'ôter de souci,
Que je m'informe un peu des nouvelles d'ici.
Tout s'est-il, ces deux jours, passé de bonne sorte ?
Qu'est-ce qu'on fait céans ? Comment est-ce qu'on
    s'y porte ?

DORINE

Madame eut avant-hier la fièvre jusqu'au soir,
Avec un mal de tête étrange à concevoir.

ORGON

Et Tartuffe ?

DORINE

            Tartuffe ? Il se porte à merveille,
Gros et gras, le teint frais, et la bouche vermeille.

ORGON

Le pauvre homme !

DORINE

            Le soir, elle eut un grand dégoût,
Et ne put au souper toucher à rien du tout,
Tant sa douleur de tête était encor cruelle !

ORGON

Et Tartuffe ?

DORINE

Il soupa, lui tout seul, devant elle,
Et fort dévotement il mangea deux perdrix,
Avec une moitié de gigot en hachis.

ORGON

Le pauvre homme !

DORINE

La nuit se passa tout entière
Sans qu'elle pût fermer un moment la paupière ;
Des chaleurs l'empêchaient de pouvoir sommeiller,
Et jusqu'au jour près d'elle il nous fallut veiller.

ORGON

Et Tartuffe ?

DORINE

Pressé d'un sommeil agréable,
Il passa dans sa chambre au sortir de la table,
Et dans son lit bien chaud il se mit tout soudain,
Où sans trouble il dormit jusques au lendemain.

ORGON

Le pauvre homme !

DORINE

À la fin, par nos raisons gagnée,
Elle se résolut à souffrir la saignée,
Et le soulagement suivit tout aussitôt.

ORGON

Et Tartuffe ?

DORINE

Il reprit courage comme il faut,
Et contre tous les maux fortifiant son âme,

Pour réparer le sang qu'avait perdu Madame,
But à son déjeuner quatre grands coups de vin.

ORGON

Le pauvre homme !

DORINE

Tous deux se portent bien enfin ;
Et je vais à Madame annoncer par avance
La part que vous prenez à sa convalescence.

(I, 4)

MOLIÈRE (1622-1673)
Le Misanthrope (1666)
(La bibliothèque Gallimard n° 61)

*Oronte est venu soumettre un sonnet de sa composition
à Philinte et à Alceste. Dans la scène précédente, l'opposi-
tion entre les deux amis était nette : Philinte plaidait pour
la civilité, Alceste affirmait son aversion de toute complaisance mondaine. La conversation avec Oronte se déroule
d'abord comme prévu. Mais soudain Alceste semble battre
en retraite. Les pronoms personnels « lui » et « vous » ainsi
que les impératifs de la dernière tirade renvoient à la personne à laquelle Alceste prétend s'être antérieurement
adressé.*

ORONTE

Est-ce que vous voulez me déclarer par là
Que j'ai tort de vouloir… ?

ALCESTE

Je ne dis pas cela ;
Mais je lui disais, moi, qu'un froid écrit assomme,
Qu'il ne faut que ce faible à décrier un homme,
Et qu'eût-on, d'autre part, cent belles qualités,
On regarde les gens par leurs méchants côtés.

ORONTE

Est-ce qu'à mon sonnet vous trouvez à redire?

ALCESTE

Je ne dis pas cela; mais, pour ne point écrire,
Je lui mettais aux yeux comme, dans notre temps,
Cette soif a gâté de fort honnêtes gens.

ORONTE

Est-ce que j'écris mal? et leur ressemblerais-je?

ALCESTE

Je ne dis pas cela; mais enfin, lui disais-je,
Quel besoin si pressant avez-vous de rimer?
Et qui diantre vous pousse à vous faire imprimer?
Si l'on peut pardonner l'essor d'un mauvais livre,
Ce n'est qu'aux malheureux qui composent pour
    vivre.
Croyez-moi, résistez à vos tentations,
Dérobez au public ces occupations;
Et n'allez point quitter, de quoi que l'on vous
    somme,
Le nom que dans la cour vous avez d'honnête
    homme,
Pour prendre, de la main d'un avide imprimeur,
Celui de ridicule et misérable auteur.
C'est ce que je tâchai de lui faire comprendre.

ORONTE

Voilà qui va fort bien, et je crois vous entendre.
Mais ne puis-je savoir ce que dans mon sonnet…?

ALCESTE

Franchement, il est bon à mettre au cabinet.

(I, 2)

MOLIÈRE (1622-1673)

Amphitryon (1668)

(Folio classique n° 333)

Amphitryon vient de comprendre qu'il n'est pas l'homme que sa femme Alcmène a reçu en croyant qu'il s'agissait de lui. La dispute qui s'ensuit entre les deux époux est relayée par celle qui oppose Sosie, le valet d'Amphitryon, et sa femme Cléanthis, suivante d'Alcmène.

SOSIE

C'est ici, pour mon maître, un coup assez tou-
    chant.
    Et son aventure est cruelle.
Je crains fort pour mon fait quelque chose appro-
    chant,
Et je m'en veux tout doux éclaircir avec elle.

CLÉANTHIS

Voyez s'il me viendra seulement aborder !
Mais je veux m'empêcher de rien faire paraître.

SOSIE

La chose quelquefois est fâcheuse à connaître,
    Et je tremble à la demander.
Ne vaudrait-il point mieux, pour ne rien hasarder,
    Ignorer ce qu'il en peut être ?
    Allons, tout coup vaille, il faut voir,
    Et je ne m'en saurais défendre.
    La faiblesse humaine est d'avoir
    Des curiosités d'apprendre
    Ce qu'on ne voudrait pas savoir.
Dieu te gard', Cléanthis !

CLÉANTHIS

            Ah ! ah ! tu t'en avises,
Traître de t'approcher de nous !

SOSIE

Mon Dieu ! qu'as-tu ? toujours on te voit en courroux,
    Et sur rien tu te formalises.

CLÉANTHIS

Qu'appelles-tu sur rien, dis ?

SOSIE

              J'appelle sur rien
Ce qui sur rien s'appelle en vers ainsi qu'en prose ;
    Et rien, comme tu le sais bien,
    Veut dire rien, ou peu de chose.

CLÉANTHIS

    Je ne sais qui me tient, infâme,
    Que je ne t'arrache les yeux,
Et ne t'apprenne où va le courroux d'une femme.

SOSIE

Holà ! d'où te vient donc ce transport furieux ?

CLÉANTHIS

Tu n'appelles donc rien le procédé, peut-être,
    Qu'avec moi ton cœur a tenu ?

SOSIE

    Et quel ?

CLÉANTHIS

        Quoi ? tu fais l'ingénu ?
    Est-ce qu'à l'exemple du maître
Tu veux dire qu'ici tu n'es pas revenu ?

SOSIE

    Non, je sais fort bien le contraire ;
    Mais je ne t'en fais pas le fin :
        Nous avions bu de je ne sais quel vin,
Qui m'a fait oublier tout ce que j'ai pu faire.

                    (II, 3)

MOLIÈRE (1622-1673)

Le Malade imaginaire (1673)

(La bibliothèque Gallimard n° 110)

Uniquement préoccupé de sa santé et, partant, victime des médecins, Orgon est pour sa part devenu le bourreau des siens, et notamment de sa fille Angélique, qu'il veut empêcher d'épouser Cléante, qu'elle aime, et donner en mariage à un médecin, lui-même fils de médecin. Profitant de la brouille que Béralde, frère d'Argan, a provoquée entre Argan et Monsieur Purgon en empêchant l'apothicaire, Monsieur Fleurant, d'administrer à son patient le clystère que le médecin traitant a préparé, Toinette, la servante ingénieuse, se déguise en médecin.

TOINETTE : Donnez-moi votre pouls. Allons donc, que l'on batte comme il faut. Ah ! je vous ferai bien aller comme vous devez. Ouais ! ce pouls-là fait l'impertinent ; je vois bien que vous ne me connaissez pas encore. Qui est votre médecin ?

ARGAN : Monsieur Purgon.

TOINETTE : Cet homme-là n'est point écrit sur mes tablettes entre les grands médecins. De quoi dit-il que vous êtes malade ?

ARGAN : Il dit que c'est du foie, et d'autres disent que c'est de la rate.

TOINETTE : Ce sont tous des ignorants. C'est du poumon que vous êtes malade.

ARGAN : Du poumon ?

TOINETTE : Oui. Que sentez-vous ?

ARGAN : Je sens de temps en temps des douleurs de tête.

TOINETTE : Justement, le poumon.

ARGAN : Il me semble parfois que j'ai un voile devant les yeux.

TOINETTE : Le poumon.

ARGAN : J'ai quelquefois des maux de cœur.

TOINETTE : Le poumon.

ARGAN : Je sens parfois des lassitudes par tous les membres.

TOINETTE : Le poumon.

ARGAN : Et quelquefois il me prend des douleurs dans le ventre, comme si c'était des coliques.

TOINETTE : Le poumon. Vous avez appétit à ce que vous mangez ?

ARGAN : Oui, monsieur.

TOINETTE : Le poumon. Vous aimez à boire un peu de vin ?

ARGAN : Oui, monsieur.

TOINETTE : Le poumon. Il vous prend un petit sommeil après le repas, et vous êtes bien aise de dormir ?

ARGAN : Oui, monsieur.

TOINETTE : Le poumon, le poumon, vous dis-je. Que vous ordonne votre médecin pour votre nourriture ?

ARGAN : Il m'ordonne du potage.

TOINETTE : Ignorant !

ARGAN : De la volaille.

TOINETTE : Ignorant !

ARGAN : Du veau.

TOINETTE : Ignorant !

ARGAN : Des bouillons.

TOINETTE : Ignorant !

ARGAN : Des œufs frais.

TOINETTE : Ignorant !

ARGAN : Et, le soir, de petits pruneaux pour lâcher le ventre.

TOINETTE : Ignorant !

ARGAN : Et surtout de boire mon vin fort trempé.

TOINETTE : *Ignorantus, ignoranta, ignorantum.*

(III, 10)

Pierre-Augustin Caron de BEAUMARCHAIS
(1732-1799)

Le Mariage de Figaro (1784)

(La bibliothèque Gallimard n° 28)

Figaro, valet du comte Almaviva, et Suzanne, cámeriste de la comtesse, vont se marier. Le comte imagine alors de contraindre Figaro à épouser la vieille Marceline, femme de charge.

SUZANNE, *un bonnet de femme avec un large ruban dans la main, une robe de femme sur le bras* : L'épouser ! l'épouser ! Qui donc ? Mon Figaro ?

MARCELINE, *aigrement* : Pourquoi non ? Vous l'épousez bien !

BARTHOLO, *riant* : Le bon argument de femme en colère ! Nous parlions, belle Suzon, du bonheur qu'il aura de vous posséder.

MARCELINE : Sans compter Monseigneur, dont on ne parle pas.

SUZANNE, *une révérence* : Votre servante, madame ; il y a toujours quelque chose d'amer dans vos propos.

MARCELINE, *une révérence* : Bien la vôtre, madame ; où donc est l'amertume ? N'est-il pas juste qu'un libéral seigneur partage un peu la joie qu'il procure à ses gens ?

SUZANNE : Qu'il procure ?

MARCELINE : Oui, madame.

SUZANNE : Heureusement la jalousie de madame est aussi connue que ses droits sur Figaro sont légers.

MARCELINE : On eût pu les rendre plus forts en les cimentant à la façon de madame.

SUZANNE : Oh, cette façon, madame, est celle des dames savantes.

MARCELINE : Et l'enfant ne l'est pas du tout ! Innocente comme un vieux juge !

BARTHOLO, *attirant Marceline* : Adieu, jolie fiancée de notre Figaro.

MARCELINE, *une révérence* : L'accordée secrète de Monseigneur.

SUZANNE, *une révérence* : Qui vous estime beaucoup, madame.

MARCELINE, *une révérence* : Me fera-t-elle aussi l'honneur de me chérir un peu, madame ?

SUZANNE, *une révérence* : À cet égard, madame n'a rien à désirer.

MARCELINE, *une révérence* : C'est une si jolie personne que madame !

SUZANNE, *une révérence* : Eh mais ! assez pour désoler madame.

MARCELINE, *une révérence* : Surtout bien respectable !

SUZANNE, *une révérence* : C'est aux duègnes à l'être.

MARCELINE, *outrée* : Aux duègnes ! aux duègnes !

BARTHOLO, *l'arrêtant* : Marceline !

MARCELINE : Allons, docteur, car je n'y tiendrai pas. Bonjour, madame. (*Une révérence.*)

(I, 5)

Confronter les textes

• Classez les répétitions en distinguant celles qui portent sur un seul mot (accompagné ou non d'un déterminant) et celles qui portent sur une phrase.

• Qu'est-ce que les répétitions nous apprennent du caractère des personnages ?

• Lisez ces textes à voix haute et variez les intonations pour donner toute leur saveur aux répétitions.

Bibliographie

Gabriel CONESA, *Le Dialogue moliéresque ; étude stylistique et dramaturgique*, PUF, 1983 et SEDES-CDU, 1989.

Robert GARAPON, *La Fantaisie verbale et le comique dans le théâtre français du Moyen Âge à la fin du XVIIᵉ siècle*, Armand Colin, 1957.

Pierre LARTHOMAS, *Le Langage dramatique, sa nature, ses procédés*, Armand Colin, 1972.

Chronologie

Molière et son temps

JEAN-BAPTISTE POQUELIN EST NÉ en 1622, à Paris, dans une famille qui appartient à la bourgeoisie marchande. Son père est tapissier ordinaire du Roi, autrement dit titulaire d'un de ces offices que l'on pouvait, sous l'Ancien Régime, acheter. Jean-Baptiste, en tant qu'aîné, avait la possibilité d'hériter de cette charge. Mais, après avoir été l'élève du célèbre collège de Clermont et avoir fait des études de droit, il est attiré par le théâtre. Choisissant de se consacrer à sa vocation, il renonce, le 6 janvier 1643, à succéder à son père. On peut diviser sa carrière en deux parties de durée sensiblement égale.

1.

Premières expériences (1643-1658)

1. *Des débuts difficiles*

Lorsque Molière naît, Richelieu est, depuis deux ans, entré au Conseil du roi et son pouvoir ne cessera pas de grandir jusqu'à cette journée des Dupes (le 10 novembre 1630) qui lui permet de sortir défi-

nitivement vainqueur du bras de fer qu'il a engagé
avec Marie de Médicis, mère de Louis XIII. Un des
objectifs du cardinal est de lutter contre les protes-
tants. Sur ce plan, la prise de La Rochelle a déjà, en
1628, consacré sa victoire. Richelieu entend aussi
soumettre les nobles qui complotent contre le roi et
résistent au pouvoir central, notamment en défen-
dant le duel, moyen suranné de régler entre eux
les questions d'honneur. Lorsqu'il meurt, en 1642,
quelques mois avant Louis XIII, Richelieu a mené à
bien une œuvre centralisatrice qui marque un tournant dans l'évolution de l'Ancien Régime, notamment dans le domaine culturel.

Molière se lie avec les Béjart, une famille de comédiens d'extraction modeste à laquelle il s'alliera,
dix-neuf ans plus tard, en épousant Armande, la
plus jeune des filles. Il fonde avec eux et leurs asso-
ciés l'Illustre-Théâtre. Deux saisons durant, de 1643
à 1645, la troupe représente, d'abord à Rouen puis
à Paris, des tragédies et des tragi-comédies d'auteurs
alors en vogue. Le programme, selon la coutume,
est complété par des farces, mais Molière joue les
rôles tragiques. C'est le 24 juin 1644 que Jean-Baptiste Poquelin signe pour la première fois du pseudonyme énigmatique de Molière. Apparues dès l'été
qui suit l'adoption de ce pseudonyme, les difficultés
financières deviennent rédhibitoires à la fin de l'année 1645.

2. *L'expérience provinciale*

À la mort de Louis XIII, survenue en mai 1643,
Anne d'Autriche, sa veuve, devient régente. Mazarin
gouverne en son nom. La guerre de Trente Ans, à

laquelle Richelieu a participé depuis 1635, aboutit à la paix de Westphalie (1648) mais le pays est exsangue. Pour remplir les caisses de l'État, Mazarin est contraint de multiplier les impôts. Ces mesures sont à l'origine de la Fronde parlementaire, rébellion de la noblesse de robe. Ces bourgeois qui ont été anoblis par les charges qu'ils ont achetées veulent que le pouvoir du Parlement, où ils siègent, ne soit plus réduit à enregistrer les décisions de la cour. Une autre Fronde, celle des Princes, est menée par ceux qui font partie de la noblesse de sang du fait de leur naissance, avec, à leur tête, les princes de Condé et de Conti, cousins du Roi : ils n'ont que mépris pour Mazarin, un parvenu, un étranger. Poussés par des intérêts divergents, les deux groupes n'œuvrent que rarement de concert, ce qui aggrave la confusion. Cette manière de guerre civile dure de 1648 à 1652. La royauté finit par l'emporter mais pour Louis XIV, qui, né en 1638, a à peine dix ans quand la révolte se déclenche, c'est une rude expérience qui pèse sur la façon dont il exerce par la suite le pouvoir.

C'est à la fin de l'année 1645 ou au début de l'année 1646 que Molière et ses amis les plus fidèles quittent Paris. Molière prend la tête de la troupe. D'abord accueillis en Guyenne par la troupe du duc d'Épernon, ils jouent dans d'autres lieux — du Languedoc à Lyon — et trouvent d'autres appuis, celui de Conti par exemple, jusqu'au moment du moins où ce prince se « convertit », autrement dit se consacre au seul salut de son âme.

Durant ces treize années passées en province, Molière et ses comédiens puisent dans le grand répertoire, notamment dans les pièces de Corneille.

Mais, fidèles à la formule déjà adoptée à Paris, ils complètent tous leurs spectacles en représentant une farce. Des canevas italiens sont alors utilisés. *La Jalousie du Barbouillé* et *Le Médecin volant*, pièces toutes deux en un acte et en prose, appartiennent sans doute à cette catégorie. C'est également à cette époque qu'il écrit *L'Étourdi* et *Le Dépit amoureux*, deux comédies d'intrigue en cinq actes et en vers.

Le 24 octobre 1658, Molière et sa troupe jouent au Louvre, sous le patronage de Monsieur, frère du roi, en présence de Louis XIV, *Nicomède* de Corneille, qui date de 1651 et une farce de sa composition : *Le Docteur amoureux.*

1634-1635	Corneille, *Médée*. Création de l'Académie française.
1637	Corneille, *Le Cid, L'Illusion comique*.
	— Descartes, *Discours de la méthode*.
1640-1641	Corneille, *Horace*.
1642-1643	Corneille, *Cinna, Polyeucte*.
1643-1644	Corneille, *La Mort de Pompée*.
1644-1645	Corneille, *Rodogune* et *Théodore*.
1651-1657	Scarron, *Roman comique*.
1653	Fouquet est nommé surintendant des Finances.
1657	Publication des *Provinciales* de Pascal. *La Pratique du théâtre* de l'abbé d'Aubignac.

2.

Heurs et malheurs d'un homme célèbre
(1658-1673)

1. *La reconquête de Paris*

Premier effet de l'enthousiasme royal, la troupe est installée, le 2 novembre 1658, au théâtre du Petit-Bourbon. C'est là que, le 18 novembre 1658, ont été créées *Les Précieuses ridicules,* comédie en un acte et en prose et *Sganarelle ou le cocu imaginaire,* en un acte et en vers. Cette salle devant être détruite, Molière se voit attribuer le théâtre du Palais-Royal, construit par le cardinal de Richelieu. Molière y donne :

— le 4 février 1661, *Dom Garcie de Navarre,* en cinq actes et en vers ;

— le 24 juin, *L'École des maris,* en trois actes et en vers ;

— le 4 novembre, *Les Fâcheux,* en trois actes et en vers. La pièce avait été commandée par Fouquet et représentée, le 17 août, en l'honneur du roi qu'il recevait, à Vaux-le-Vicomte. C'est la première comédie-ballet donnée par Molière. Le musicien Beauchamp en a écrit la musique et réglé la chorégraphie ;

— le 26 décembre 1662, *L'École des Femmes,* en cinq actes et en vers. La pièce est un succès mais provoque un scandale. Molière a alors à connaître les premières attaques des dévots. Aux critiques qui lui sont adressées, il répond en représentant ;

— le 1er juin 1663, au Palais-Royal, *La Critique de L'École des femmes,* pièce en un acte et en prose, et le 14 octobre, à Versailles, puis au Palais-Royal le

4 novembre, *L'Impromptu de Versailles*, en un acte et
en prose ;

— le 15 février 1664, *Le Mariage forcé*, en un acte
et en prose, qui avait été donné le 29 janvier, au
Louvre. C'est à partir de ce moment que Molière
travailla avec Lully (1632-1687). Le poète et le musicien devaient collaborer jusqu'en 1671 ;

— le 9 novembre, *La Princesse d'Élide*, comédie
galante mêlée de musique et d'entrées de ballet, en
cinq actes et en prose, qui avait été jouée le 8 mai à
Versailles, dans le cadre des *Plaisirs de l'île enchantée*.
Durant ces fêtes, qui durèrent une semaine, on joua
aussi d'autres pièces de Molière. Et notamment, le
12 mai, les trois premiers actes d'un premier *Tartuffe*
dont nous ignorons le contenu. Pour mettre un
terme à l'agitation provoquée par la réaction des
dévots, Louis XIV en interdit la représentation
publique. C'est là un coup très dur pour Molière qui
espérait tirer de cette pièce autant de gain que de
considération.

En 1662, le roi accorde une pension à Molière et
en 1664 il est le parrain de son premier enfant.

Après les troubles de la Fronde (1648-1653),
Mazarin a repris le pouvoir. Il mène à bien des négo-
ciations avec l'Espagne et signe, à la fin de l'année
1659, le traité des Pyrénées. Quelques mois plus
tard, il renforce cette alliance en faisant épouser au
jeune roi Marie-Thérèse d'Espagne, fille de Phi-
lippe IV. Il meurt en 1661. Fouquet, qui était depuis
1653 surintendant des Finances, aurait pu lui succéder. Mais Louis XIV, jaloux de lui voir pratiquer
un mécénat dont il projetait déjà d'avoir le mono-
pole, et soupçonnant une utilisation frauduleuse
des deniers publics, met fin à cette ambition. Fou-

quet est condamné en 1664 au bannissement per-
pétuel et il meurt, en 1680, à Pignerol. Louis XIV
entend désormais régner mais aussi gouverner. Ces
premières années de pouvoir personnel sont consa-
crées à la consolidation et à la glorification de l'État.

2. *Les années de gloire*

La lutte que mena Molière en faveur de son *Tartuffe* ne devait aboutir que cinq ans plus tard. C'est
en effet le 5 février 1669 que la pièce fut jouée au
Palais-Royal sous la forme que nous lui connaissons,
en cinq actes et en vers. En 1667, alors qu'il avait
procédé à un certain nombre de transformations,
Molière s'était cru près du but. Une nouvelle inter-
diction fut cependant prononcée. Par son *Dom Juan*,
que Molière écrit à la hâte et qui aborde lui aussi le
problème de la religion, il entend répondre à tous
ceux qui participent à la querelle de *Tartuffe*. La
comédie, qui est représentée le 15 février 1665 au
Palais-Royal, comporte cinq actes et est écrite en
prose. Elle est très vite enlevée de l'affiche.

Mais l'activité de Molière est étonnante. Voici un
récapitulatif de sa création d'homme de théâtre
entre 1665 et 1672 :

L'Amour médecin, comédie-ballet dont les trois
actes en prose sont représentés à Versailles le
15 septembre 1665 et au Palais-Royal le 22.
Le Misanthrope, en cinq actes et en vers, qui est
directement donné en ville en juin 1666.
Le Médecin malgré lui, en trois actes et en prose,
qui est, lui aussi, joué au Palais-Royal.
Mélicerte, comédie pastorale héroïque inachevée
— la pièce ne comporte que deux actes en vers —

donnée à Saint-Germain-en-Laye le 2 décembre 1666, dans le cadre du *Ballet des Muses* (qui dura trois mois) et remplacée, en janvier 1667, par la *Pastorale comique*, divertissement en vers qui ne comporte qu'une scène.

Le Sicilien ou l'Amour peintre, comédie en un acte et en prose entrecoupée de chants et de danses, créé dans ce même cadre du *Ballet des Muses*.

Les trois pièces représentées en 1668 au Palais-Royal : *Amphitryon*, comédie en trois actes et en vers libres, *George Dandin ou le mari confondu*, qui comporte trois actes en prose, et *L'Avare*.

Monsieur de Pourceaugnac, comédie-ballet en trois actes et en prose, représenté à Chambord en septembre 1669 et au Palais-Royal le 15 novembre.

Les Amants magnifiques, divertissement royal de cinq actes et en prose, représenté à Saint-Germain-en-Laye, en février 1670.

Le Bourgeois gentilhomme, comédie-ballet de cinq actes en prose, donné à Chambord en octobre 1670 et au Palais-Royal en novembre.

Psyché, tragédie-ballet créée dans « la grande salle des machines » du palais des Tuileries en janvier 1671 puis donnée au Palais-Royal, à partir du 24 juillet. Pressé par le calendrier qu'avait établi le roi lui-même, Molière demande de l'aide à Corneille et à Quinault qui sont les coauteurs de cette pièce de cinq actes en vers.

Les Fourberies de Scapin, comédie en trois actes et en prose, créée, au Palais-Royal, le 24 mai 1671.

La Comtesse d'Escarbagnas, comédie en un acte et en prose, représentée pour le roi à Saint-Germain-en-Laye, le 2 décembre 1671, et au Palais-Royal le 8 juillet de l'année suivante.

La reine mère, Anne d'Autriche, meurt en 1666. Colbert (1619-1683), qui avait été recommandé au roi par Mazarin, devient surintendant des Bâtiments

en 1664, contrôleur des Finances en 1665 et secré-
taire d'État à la Maison du roi et de la Marine en
1668. Partisan du protectionnisme, qui consiste à
protéger les produits du pays contre la concurrence
étrangère, il encourage l'agriculture, l'industrie et
le commerce. Il réorganise les finances, la justice
et la marine. Il crée des compagnies royales de colo-
nisation. On lui doit l'idée de l'Académie des inscrip-
tions ; il fonde, en 1666, l'Académie des sciences,
en 1667, l'Observatoire. À partir de 1671, lorsqu'il
tente de limiter les dépenses royales, il perd son
crédit auprès de Louis XIV et il est finalement rem-
placé par Louvois.

3. *Le dernier Molière*

La fin de l'année 1671 a été assombrie par la dis-
parition de Madeleine Béjart, la collaboratrice des
premiers jours. L'année 1672 est celle de la brouille
avec Lully. Au mois de mars, celui-ci crée l'Académie de musique qui lui donne le privilège de la
représentation de toutes les pièces chantées. Il interdit à toutes les troupes d'engager plus de douze
musiciens et plus de six chanteurs. Ce faisant, il nuit
gravement à son ami. La rupture consommée, c'est
vers Marc Antoine Charpentier (1643-1704), rival
de Lully, que Molière se tourne lorsqu'il compose sa
dernière pièce, *Le Malade imaginaire*, comédie mêlée
de musique, en trois actes et en prose, créée au
Palais-Royal, le 10 février 1673. Le 11 mars 1672,
il avait donné dans ce même théâtre *Les Femmes
savantes*, une comédie en cinq actes et en vers.

Molière meurt le 17 février 1673, à l'issue de la
quatrième représentation du *Malade imaginaire*.

1664   Racine écrit sa première tragédie : *La Thé-baïde*.

1665   Louis XIV élève la troupe de Molière au rang de « troupe du Roi au Palais-Royal » avec 7 000 livres de pension annuelle.

1667   *Andromaque* de Racine.

1668   Traité d'Aix-la-Chapelle qui donne à la France quelques places flamandes, dont Lille et Douai. Premier recueil des *Fables* (livres I à VI) de Jean de La Fontaine.

1669   *Britannicus* de Racine.

1672   Louvois (1639-1691) est à l'origine de l'attaque des Provinces Unies, c'est-à-dire le nord des Pays-Bas. Corneille fait représenter *Pulchérie* et écrit sa dernière tragédie, *Suréna*. Racine donne, quant à lui, *Bajazet*.

1673   *Mithridate* de Racine.

Éléments pour une fiche de lecture

Regarder le tableau

- Donnez des précisions sur le tableau de Jan Steen et justifiez à chaque fois votre réponse : à quel moment de la journée se trouve-t-on ? l'avare rentre-t-il ou sort-il ? de chez lui ? y a-t-il d'autres personnages face à lui ?
- Trouvez la ligne de force autour de laquelle s'organise le tableau (une horizontale ? une verticale ? une diagonale ?). Quelle impression cela donne-t-il à celui qui regarde le tableau ? Quelle est la couleur dominante de *L'Avare* ? Cette teinte est-elle choisie au hasard ?

L'argent

- Relevez toutes les occurrences du mot *argent*.
- Y a-t-il d'autres termes qui relèvent du même champ lexical que le mot *argent* ? Lesquels ?

Le titre

- Quel enseignement peut-on tirer du titre ? Comment contribue-t-il à souligner l'unité de l'action ?

De quels autres titres de Molière peut-on le rapprocher ?
- L'écririez-vous avec une majuscule ou non ? Pourquoi ?

Rappelez-vous que vous lisez du théâtre !

- Qu'est-ce qu'un *quiproquo* ? Où et comment ce procédé est-il mis en œuvre dans la pièce ?
- Classez les *didascalies* : gestes qui redoublent la parole, gestes qui se substituent à la parole, attitudes et mimiques qui donnent des indications sur le jeu attendu des acteurs.
- Relevez dans les scènes 1 et 2 de l'acte I les termes qui dégagent une atmosphère de galanterie.
- Quels sont les passages de la scène 7 de l'acte IV où Harpagon, n'étant censé s'adresser qu'à lui-même, s'adresse au public ?
- Qu'y a-t-il d'invraisemblable dans le dénouement ? Que traduit ce choix de Molière ? Connaissez-vous une autre pièce qui se dénoue de semblable façon ?
- Classez les personnages en fonction du nombre de leurs apparitions. Quelles sont les scènes où un (ou des) personnage(s) sont présents mais ne parlent pas ? Quel sens peut-on donner à cette présence ?

Sur quelques personnages

- Dressez le portrait de chacun des serviteurs et dites quelle est sa fonction dans l'intrigue. Comparez avec la place qu'occupent dans l'action le Covielle du *Bourgeois gentilhomme* et le Scapin des *Fourberies*.

- Qu'apprenons-nous sur le statut de la femme au XVIIᵉ siècle ?

Sujets de réflexion

- Jean-Jacques Rousseau écrit dans la *Lettre à d'Alembert sur les spectacles* (1758) :

« C'est un grand vice d'être avare et de prêter à usure ; mais n'en est-ce pas un plus grand encore à un fils de voler son père, de lui manquer de respect, de lui faire mille insultants reproches, et, quand ce père irrité lui donne sa malédiction, de répondre d'un air goguenard qu'il n'a que faire de ses dons ? Si la plaisanterie est excellente, en est-elle moins punissable ? et la pièce où l'on fait aimer le fils insolent qui l'a faite en est-elle moins une école de mauvaises mœurs ? »

René Bray écrit dans *Molière homme de théâtre* (1954) :

« Il n'y a pas lieu de séparer les farces des comédies. Du *Docteur amoureux* au *Misanthrope*, de *Sganarelle* aux *Femmes savantes*, l'intention est la même. Molière nous dit qu'il veut corriger les hommes [...]. En vérité, il ne pense qu'à nous faire rire. Le théâtre n'est pas un moyen, c'est un but. La comédie n'a pas sa fin hors d'elle-même, dans une moralisation par le rire à laquelle personne ne peut ajouter foi (*L'Avare* guérit-il de l'avarice ?). »

Relevez les passages sur lesquels s'appuient respectivement Rousseau et René Bray pour soutenir leur thèse. Laquelle vous paraît-elle la plus convaincante ?

- Présentez sous forme de tableau l'ensemble de l'œuvre de Molière en prenant en compte d'une

part le nombre d'actes, d'autre part le choix
opéré entre prose et vers. Quelles remarques vous
suggère cette récapitulation ?

Collège

Fabliaux (textes choisis) (37)
CHRÉTIEN DE TROYES, *Le Chevalier au Lion* (2)
COLETTE, *Dialogues de bêtes* (36)
CORNEILLE, *Le Cid* (13)
Gustave FLAUBERT, *Trois Contes* (6)
HOMÈRE, *Odyssée* (18)
Victor HUGO, *Claude Gueux* suivi de *La Chute* (15)
Joseph KESSEL, *Le Lion* (30)
Jean de LA FONTAINE, *Fables* (34)
Gaston LEROUX, *Le Mystère de la chambre jaune* (4)
Guy de MAUPASSANT, *12 contes réalistes* (42)
MOLIÈRE, *Le Médecin malgré lui* (20)
MOLIÈRE, *Les Fourberies de Scapin* (3)
MOLIÈRE, *Trois courtes pièces* (26)
Charles PERRAULT, *Contes* (9)
Jacques PRÉVERT, *Paroles* (29)
Jules VALLÈS, *L'Enfant* (12)
Paul VERLAINE, *Fêtes galantes* (38)
Jules VERNE, *Le Tour du monde en 80 jours* (32)
Oscar WILDE, *Le Fantôme de Canterville* (22)

Lycée

La poésie baroque (anthologie) (14)
Honoré de BALZAC, *La Peau de chagrin* (11)
Charles BAUDELAIRE, *Les Fleurs du Mal* (17)
Albert CAMUS, *L'Étranger* (40)

Gustave FLAUBERT, *Madame Bovary* (33)

Sébastien JAPRISOT, *Un long dimanche de fiançailles* (27)

Pierre Choderlos de LACLOS, *Les Liaisons dangereuses* (5)

Jean de LA BRUYÈRE, *Les Caractères* (24)

Madame de LAFAYETTE, *La Princesse de Clèves* (39)

MARIVAUX, *L'Île des Esclaves* (19)

Guy de MAUPASSANT, *Le Horla* (1)

Guy de MAUPASSANT, *Pierre et Jean* (43)

MOLIÈRE, *L'École des femmes* (25)

MOLIÈRE, *Le Tartuffe* (35)

Alfred de MUSSET, *Lorenzaccio* (8)

François RABELAIS, *Gargantua* (21)

Jean RACINE, *Andromaque* (10)

Jean RACINE, *Britannicus* (23)

Nathalie SARRAUTE, *Enfance* (28)

VOLTAIRE, *Candide* (7)

VOLTAIRE, *L'Ingénu* (31)

Émile ZOLA, *Thérèse Raquin* (16)

Composition Interligne.
Impression Novoprint
à Barcelone, le 4 avril 2005
Dépôt légal : avril 2005
ISBN 2-07-030694-1/Imprimé en Espagne.

Impression Bussière
à Saint-Amand (Cher),
le 3 novembre 1997.
Dépôt légal : février 1979.
1er dépôt légal dans la collection : février 1972.
Numéro d'imprimeur : 1/2607.